生活在戰爭中

生活在戰爭中

LIFE
AT WAR

紐約 時代公司出版

時代－生活叢書

中文版

編輯: 李如桐
副編輯: 蕭輝楷　蕭定韓　張柱
助理編輯: 陳賢英
編輯助理: 嚴慧　王兆蓮　趙錡

本書譯者: 時代公司　蔡提摩太

出版者: 時代公司

目錄

戰火下的攝影家

本引言是自1936年起即參加生活雜誌，在第二次世界大戰期間被任為戰地攝影記者的大衛‧E‧薛曼撰寫的。薛曼曾身歷倫敦大轟炸、諾曼第半島登陸戰、解放法國及攻佔德國本土諸戰役，近年內曾為時代生活叢書編纂了下列兩部書：《生活雜誌精粹》與《生活的電影世界》。

"要是你拍得不夠精采，那就是你還不夠接近。"這是生活雜誌麾下那羣傑出戰地攝影記者中可能最負盛名的羅拔‧卡帕的信條，本書便正是這羣記者的傑作輯錄。生活雜誌(週刊)自1936年11月23日創刊，至1972年12月29日停刊，曾連續出版了整整36年，這一刊行時期，恰是世界上凮所未見的、總有一個地區正在大動刀兵的慘烈年代；目前儲存在時代公司的生活雜誌圖書館的戰爭照片集，其數量之龐大大概得居所有出版機構之冠。在這些照片中，有關於西班牙內戰的，有關於中國抗戰的，有關於第二次世界大戰歐亞非各戰場諸戰役的，有關於韓戰的，有關於越戰的，有關於阿爾及利亞獨立戰爭與古巴革命的，也有關於中東之戰、奈及利亞所屬比亞法拉的獨立鬥爭、北愛爾蘭暴亂以及中共印度喜馬拉雅之戰的——這其間有壯倩也有死亡，有勝利也有挫敗，更有無辜人民橫遭的種種慘絕人寰的悲劇；本書即由編者對這些片段加以編選輯就。

生活雜誌最初刊用的圖片採自一切可能的來源：有的來自各大通訊社，有的來自新聞攝影公司，有的來自交戰雙方當局的直接提供，有的更來自散處各地的自由攝影者。待到第二次世界大戰戰火業已擴及全球，美國之捲入戰爭已勢無可免時，生活雜誌編輯部便開始派遣自己的專屬攝影人員前赴各戰區，並另遣專員遍往美國各地去拍攝美國的備戰情態。派去探訪第二次世界大戰的生活雜誌攝影記者，前後

共達21名，5名負傷，2名中過魚雷，幾乎半數都曾在兩棲登陸戰中翻船落水，其餘的也莫不親歷過陸上、海上和空中的猛烈炮火，少數且曾為敵人所俘。不可思議的是，生活雜誌攝影記者竟無一人是在大戰中喪生的——反而是大戰以後那些個繼起的局部戰爭中，才有四人為之丟掉性命，這真可說是有幸有不幸了。

生活雜誌持續出版的這36年內，專屬攝影記者(部份照片見本頁及下兩頁)的膠捲，曾錄下了許多國家的許許多多有名無名英雄們的豐功偉蹟；不過就個人主觀而言，我認為這些替生活雜誌執持相機上陣的男女人員本身，便正是巍巍然的英雄人物。如果你只是一名寫特稿的戰地通訊員，你的通訊是否真要根據前線上的親見親聞，還是僅藉比較安全的第二線庇護所中所得消息即足綴輯成篇，往往都是大可自由決定的事。然而你若是一名戰地攝影記者，便沒有此種選擇餘地了：你得真的置身戰地，還得正值關鍵時刻，始能攝得良好的戰爭照片——就在倒地士兵的身畔，就在B-24轟炸機的彈艙中，就在逼臨灘頭堅強敵陣的登陸艇上，猛烈的炸彈這時正在衝飆而下。

這便是若干具體事例：

喬治‧羅紀爾是個性喜冒險的堅毅的英國人，天生一條真箇百邪不侵的大命。他曾在生活雜誌的一次派遣下，為了第二次世界大戰新聞圖片的拍攝，前後遨遊達75,000哩，從北非一直探訪到緬甸再回頭西行。然後，在歐洲，在1944年的意大利戰役期間，他曾經天天都跳進一個他找到的散兵坑，利用它的縱覽卡施諾山德軍陣地全景之便，從事盟軍的攻擊報導。有一天他忘了帶午餐盒，只好在中午暫回基地匆促就餐；待到他飯罷重赴坑穴時，發現這個散兵坑已為炮彈直接命中，蕩然無存了。

喬治‧施里克是個紐西蘭青年，曾在非洲

拉利‧巴諾思

大衛‧道格拉斯‧鄧肯

羅拔·卡帕

W·尤金·史密斯

沙漠爲德軍所俘而終能順利逃脫的。後來他隨着盟軍的前進，進入德境；有一天，當他正在魯爾河渡口拍攝德軍投降照片時，一名來降者趁此時會驀地引發了袋中的手榴彈，把自己和另兩名德軍外帶兩名美軍一齊炸死，施里克雖說倖逃此刧，腿上也已捱上一塊破片了。

拉爾甫·摩斯有次爲要把攝得的瓜達康納爾登陸戰底片即送美國，暫時離開灘頭陣地前赴近處戰艦"淮因孫列斯號"，因爲睡眠實在不足，就這樣給艦上人員留了下來過夜。戰艦當夜爲日本魚雷擊沉，摩斯睡不成覺，扶持着一名受傷軍官，在海上漂流足足六小時之久。

法蘭克·謝爾西曾經爲了拍攝，參加了空襲德國西南部司徒加城之役而陷身空戰之中；他所乘的空中堡壘，發動機全給擊毀了，只能勉強回航，純仗滑翔降回英國地面。

拉利·巴諾思是在越戰中作過九年採訪工作的老手，有次他躍下比較安全的直升機去救援一名彈雨下的兵士；待到他重行跳上座機，三顆0.30口徑的子彈便已擊中他剛剛離開的所在了。

卡爾·米丹斯採訪過蘇芬戰爭、中國抗戰與韓戰，且曾爲日軍所俘，先後在馬尼拉和上海囚禁過的，迄今憶及1944年在意大利翡冷翠市郊所遇事件時猶有餘悸。那次，他想給一隻頭上套有德國鋼盔的大酒瓶拍照，嫌它光線太暗，打算挪動一下位置却挪不動，只好就地拍攝了事；幾分鐘後，兩名美國兵走過來，要合力抱起它，它立刻爆炸了——原來這是藏有炸彈和引線的。

文字記述要是不小心遺失了，必要時還可從頭寫過，或用苦思追憶來補回一份與原件相去不遠的新篇；但用快照拍下的底片要給搞丟，那便是永遠不可復得的了。因此，生活雜誌的攝影記者不論置身何處，必不可少的工作便是不僅要給攝得的照片註上說明，還得把那些業已感光的膠捲小心包紮，再與說明一同交付軍中日報急遞人員送回司令部去，然後儘可能用飛機或別的甚麼，趕緊運回紐約生活雜誌黑房去沖洗加印——要是這些照片並未碰上軍方事先檢查的話。

如果不巧碰上了檢查，膠捲就會先寄去設在倫敦或巴黎的臨時照片檢查站，顯影後再用密貼曬法曬出小型正片，交給檢查人員去偵察各種容或會對敵人有用的情報，諸如可資辨識的軍事設備及士兵階章之類；要有的話，不論照片本身價值如何，通常都得把這些地方剪去並把底片毀掉。其結果便是：紐約的編輯有時便會接到一些宛如紙圖串成的貼曬照片，不得不去百計拼揍，看還剩下甚麼可用的。

試把攝影家在此種泡製下所遭的不幸和作家比較比較好了——時代生活社通訊員羅拔·夏樂德是一艘美國航空母艦曾經攻打西貢的目擊人，他寫出報導納入袋中，再加塊壓袋石，請人乘飛機在艦隊聯絡艦"愛荷華號"上空掠過時即時拋下，聯絡艦便會將這一報導拍發回美國。不料包裹拋空，未落到"愛荷華號"上。夏樂德只好坐下來重寫並安排重拋，這次他的報導便沒有墮入海中了。

然而攝影家却沒有此種幸運。拉爾甫·摩斯的瓜達康納爾攻擊照片底片，隨"淮因孫列斯號"沉沒入海後，這一攻擊場面當然便無從重拍了。負責拍攝諾曼第登陸戰的六名攝影員，也有過類似的無可挽回的損失：他們攝得的底片本已安抵倫敦，然而大部份却都只因了一名緊張的黑房助手烤片過熱而銷熔毀去——羅拔·卡帕在那個歷史性大日子內拍下的好幾百張照片，子遺的才不過八張而已。

生活雜誌首名戰地攝影女記者馬嘉烈·波

克－懷德，所攝意大利卡西諾修道院之戰的整套膠捲竟被掃數遺失，實則不外是在美國國防部送檢時不知擱到那兒去了而已。不過她在蘇聯那次倒是運道奇佳。蘇聯參戰後不久，她有幸獲派往克里姆宮去為史達林拍照。這次她特別小心要找個能替她把底片迅速送回生活雜誌的人，她真的找到了——是即赫利・霍浦金斯，羅斯福總統派往拜候史達林的私人專使。

這類急智經常有用，但幸運因素仍是不可忽視的。1941年初我橫渡南大西洋前往非洲，所乘船隻在半路被德艦偷襲擊沉，我本人則被德艦救起，關了兩個月，終因那時美國尚未參戰而獲釋放遣歸。這次襲擊被我拍成了三筒膠捲，我把膠捲捲好分別藏入一管牙膏、一管剃鬚膏和一捲紗布繃帶中——信不信由你，這三捲東西不但沒被捉住我的德軍發現，就連英美檢查人員也都給騙過了！

真正足令生活雜誌攝影記者為之雀躍不已的好運道，乃是遲至戰爭已瀕結束時才在德境惠然降臨的。攝影記者們本來一直在為照片的遞送問題頭痛，忽然之間，那位曾為生活雜誌好萊塢分社主任，對於照片遞發問題特別足智多謀冠於儕輩的理察・勃拉德，這時竟在德國以陸軍中尉勃拉德的身份出現，一變而為美國第六軍團的新聞官了——把照片送回紐約，從此便再也不是問題了。

生活雜誌攝影員也如其他戰地記者一般，同樣得面對一個永恆的道義問題：何時始應暫停雜誌的採訪勤務而親自捲入行動？如果是他們可以自行決定的時候，他們通常都以良知為斷。在諾曼第的聖羅之戰中，拉爾甫・摩斯便曾放下相機，幫手搬抬運傷兵的擔架；前此數週，羅拔・卡帕也曾參加過諾曼第登陸戰的救傷工作，協助把剛擊沉的登陸艇上的重傷官兵搬過救援艦去。

話說回來，捲入行動也可能正是無比良機的嶄現——從攝影家的經驗外帶照片提供的事象資料中，說不定便正足獲致某些有裨軍情的好處。喬治・羅紀爾在1941年曾在日軍進迫下自緬甸徒步逃亡；這一脫逃途程予他的許多知識，對於後來那條有名的雷多公路的測繪修築便曾起過莫大的指引作用，這一雷多公路正是1945年盟軍藉以收復緬甸的。就我個人而言，我在乘船被德國偷襲艦"大西洋號"擊沉而逃上救生艇之際，即趁機對"大西洋號"偷拍了一張照片；照片先在生活雜誌刊出，賡即遍發整個英國海軍，使英國海軍對這艘偽裝軍艦的廬山

真面終得認清，從而始導致了英艦"德望郡號"稍後對它所加的毀滅打擊。

當然，少數攝影記者無可避免仍是必須付出最後代價的。"一名士官報說我已經死了，"羅拔・卡帕在諾曼第登陸戰最初三日記詳一文寫道："他說他'親見'我的屍體漂浮海面，頸上還掛着相機……我的死亡業經確定，新聞檢查官已為我發出了訃聞，以致我這縷幽魂之驀地重復肉身，竟反使朋友們因曾為我浪擲哀傷而極不高興。"十年以後，卡帕終於在南越踏中一枚越共埋進稻田的地雷，真的殉職了。

普利雅・洛蒙洛加是個溫雅恭謹的印度君子，切望真正"作個不僅報導暴動、殺戮、戰爭的攝影記者"的。他深盼早離非洲工作區，然而就在他首次奉派前往拍攝比亞法拉之亂時即闖入遊擊地帶而中伏遇害了。

1967年阿拉伯－以色列六日戰爭爆發後翌日，保羅・薛徹爾便在以色列軍派往西奈沙漠巡邏的一輛半履帶裝甲車上，被埃及反坦克武器擊中，成了那次戰爭中第一位殉職的記者。

拉利・巴諾思先後到過蘇彝士、黎巴嫩、剛果、印度、塞普魯斯及越南，一直是生活雜誌戰地攝影記者羣中最見精湛、勇敢而且簡直打不死的人物。1971年2月10日，他與另四名攝影員共搭一架南越直升機飛經老撾，就此失踪——巴諾思正是向軍方囉嗦了好多天，才終於獲准參與這次最後勤務的。

攝影記者中除了殉職者以外，還有些是負傷的。科・倫提密斯德曾在越南負傷，一顆子彈竟穿過他的手而把他身邊的另一人擊倒。W・尤金・史密斯向來認為戰地記者的任務應是走在進攻部隊之前，把相機倒過頭來拍攝自己人的。1945年他就這樣在冲繩為追擊炮彈破片洞穿手臉，連牙齒帶舌頭都給打斷，足足治療了兩年才告痊癒；然而這嚇不倒他，他繼續冒險上火線去照拍。到後來他再求派赴韓戰前線，生活雜誌編輯不得不拒絕——史密斯咆哮質問曰："你憑甚麼不讓我尋死？"答覆是："不憑甚麼，只是生活雜誌對此事恕不出錢"。

然則生活雜誌攝影記者何以要去投身戰火呢？他們沒人"好戰"，個個都痛恨戰爭的殘暴。那怕最愛裝模作樣的卡帕，曾吹牛說是戰地記者"如未參與進攻，那滋味就活像在星星監獄關滿五年出來都不赴艷星蓮娜端納的約會一樣"的那位仁兄，也承認他對戰地攝影工作實在深惡痛絕。第二次世界大戰鄰近結束時他便說過："戰爭就像上了年紀的女明星，愈來愈糟，愈來

馬嘉烈・波克－懷德

拉爾甫・摩斯

韓克・渥克

彼德・斯塔克坡爾

阿甫瑞・艾森西塔德（與蝦夷友人）

伊利亞特·艾利殊方(與帕頓)

喬治·施里克

科·倫提密斯德(已負傷)

卡爾·米丹斯

約翰·杜明尼斯

喬治·羅紀爾

邁可·路吉爾

巴博·蘭椎(與狄安娜·賓萍)

愈不適於拍照。作為一個戰地攝影記者,我希望終身無機會找到工作。"喬治·施里克有次自問道:"我幹嘛要去?"再自答:"我看見了士兵作戰至死,我自己却是拿上尉薪水而毋需作戰的平民,我慚愧。因此我自勵務求竭盡所能,把兵士們的如何度日又如何赴死,好好地報導給國內同胞知道。我深信這可能即是在為人道効力:只要大家對戰爭實況已有某種真切的鳥瞰,大家便極可能起而阻止來日的戰爭——或者其他諸如此類的蠢事。"

拉利·巴諾思也曾深為這一問題所苦而陷入沉思。"拍攝一名正受袍澤抱持的瀕死士兵,稍後再去對這友人的傷慟加以刻劃,"他寫道:"委實是極不好過的事。良知折磨着我。我是否只在利用他人的悲哀換錢?不過我的最後了解是:我所作的,對國內那些無可救藥的麻木不仁者而言,倒未始不是某種當頭棒喝。"

大衞·道格拉斯·鄧肯,所攝照片曾為愛德華·史泰鑗盛讚為"夙所未有的表現戰爭衆生相之無上圖卷"者,也感到他的作爲正是"要把'戰爭'這字眼的真義,從舉世大人先生們要弄的那些冠冕堂皇口號中分劃開來的努力——只當一個跟着就要抓起鎗、鼓起勇氣、收起全部夢想,前往進攻居高臨下之敵的士兵,正在吸他(可能畢生的)最後一支煙的最後一口時,他眼中所見的'戰爭'才是真的!"

最佳答案大概正是1938年生活雜誌自身所提出的——它在西班牙與中國戰報之外,還同時刊佈了一篇赳對那些絕未見過戰爭照片的不滿讀者的文章。

文章說:"生活雜誌不能忽視甚至壓抑有關這兩大新聞的圖片。事件本身具有權威,比任何編輯方針或讀者的厭惡心理都遠爲重要;本來生活雜誌也可以選用這類大事圖片中之比較悅目者。然而事件本身絕不悅目,戰爭大事當然就是人命的死亡,就是財物的毀滅。那怕是最好的插圖,也仍不能把戰爭的可怕與醜惡全部呈現——圖片可能拍攝出某些血肉橫飛,某些暴虐與破壞,然而那種可怖的殺人意願與更可怖的求生意願,那種長期淒苦的侵凌乃至全民最後的精神崩潰,却是無論如何也描繪不出的;任何圖片都沒法傳出盈千累萬垂死者的呻吟與盈千累萬已死者發出的腐臭。真有意義也真有力量的和平之愛,必須植根在對戰爭恐怖的真正了解之上;唯有這樣,昇平的福祉愉悅始能真為大家所喜而永獲保全。活着的要都拒絕不看死人,死人就實在只是白白死去的了!"

西班牙內戰

生活雜誌在一個國家的內戰中誕生，最後又於另一國家的內戰中停版──生活雜誌的創刊是西班牙內戰已達五閱月的1936年冬，其休刊則是越南仍屬漫天烽火的慘烈時際。

西班牙內戰的遠因，可以上溯至這一國家前此已歷時好幾世紀的那些個政治宗教鬥爭，在其時國家工業化過程中激盪而成的總爆發；至於近因，則可說純是近世思想鬥爭與當日國際政治鬥爭，偶然滙聚於西班牙這一焦點之所致。二十世紀三十年代，是現代世界即將進入空前大亂的混沌年代；共產主義這時已在蘇聯正式化為強大的赤色政權，"世界革命"的思想影響正橫掃天下，深入許多知識分子的內心，各國左傾勢力都莫不躍躍欲試，想用"社會主義"來把人民各方面生活整個納入"集體"統制之下；這種趨勢，自然引起了各色堅持自由、崇尚傳統的人的恐懼與反抗，最激烈的反抗更逐漸孕生出一種狂熱國家主義，從而在左傾勢力汎濫莫制的意大利與德國，分別釀成了法西斯主義與納粹主義，催逼出兩個公然倡導獨裁並且否定政治民主的極端反共右翼政權，一方面高唱"國家至上"，但另一方面也絕不忽略國際性的反共鬥爭──這左右兩大國際勢力，這時便在西班牙碰頭，一方面是當時業已當權、正在推動各項激烈改革的左翼勢力，另一方面則是潛力仍甚龐大、亟圖奮起反抗的在野右翼勢力，兩大勢力的對抗如箭在弦，終於觸發了這一各有人民擁護也各有國際力量撐腰的"西班牙內戰"。

西班牙自脫離中古封建時代後，經過了短暫的君主立憲時期，隨即轉入嚴酷獨裁統治；待到1930年獨裁統治倒台，翌年便由選舉建立起了共和政府，作出了若干現代化的努力，可惜由於成效不著，至1934年即釀成了夙所未有的舉國分崩──一邊是由共黨、社會主義者及左派共和黨人組成的"人民陣線"，還包括了久為西班牙積患的，否定一切而唯尚暴力的無政府主義者，另一邊則是由基督教及中產階層等保守主義者外帶新興反共長槍會所組成的"國民陣線"；前者的支持來自工人，後者則呼籲軍隊起來搶救國家，滌蕩"赤色勢力"。

1936年夏天，一個由青年軍官組成的政變組織在上述情勢下逐漸成型；這一組織由藹米利奧·謨拉及曼紐愛爾·戈達德兩將軍領導，獲得了新自被貶戍區堪納利羣島回國的法蘭西斯科·佛朗哥將軍的參與，7月17日便在西屬摩洛哥舉事，迅即渡海攻入了西班牙本土。

可是西班牙政府那時正擁有工人的支持，這一軍事政變遂無法不演成一場瘡痍慘烈的長期內戰。共和軍本來據有馬德里所在的新卡斯堤柳、卡達隆尼亞及巴斯克等工業區，政變軍則迅速佔領農村地帶而制敵機先，成了後來得藉戰時缺糧去把共和軍餓垮的張本。

共和軍最初賴以抵抗的武力，僅得一支倉卒組成的工人自衛隊及少數仍然効忠政府的官兵，在軍事上當然絕非佛朗哥部隊的敵手，政變軍眼看1936年11月即可把馬德里拿下，但共和軍的國外援兵就在這時趕到了——從英、法、美各國蜂擁來援的志願軍組成了一支“國際旅團”，西班牙政府也另組了一支“人民軍”來取代初期的工人部隊；同時，政府內的共黨勢力急遽擴張，“人民軍”連裝備帶補給都由蘇聯直接運達；佛朗哥的正規部隊在這些阻抗因素下，遂無法不面對一次又一次的堅強抵抗。

不過佛朗哥同樣也有國外的助力。英法美各國政府一早便宣佈不介入西班牙內戰，對西班牙政府拒作任何支援，希特勒與墨索里尼更把飛機、戰車、大炮乃至地面部隊一批批交付給佛朗哥——德國與意大利之所以甘願捲入這場戰爭，一方面固在幫助這一顯然友善的反共政權，但更重要的，這正是試驗它們新武器與新戰術的大好機會，後來在第二次世界大戰的閃擊戰中，德國的這些武器戰術便真的起了莫大的作用。

蘇聯在這事上也不落後。它對共和軍的供應，不止是小型武器，一樣也有飛機戰車，而且還正式派出了一個軍事代表團。不過到1938年蘇聯便縮手了，這一無比緊要的武器競賽，便完全倒向了佛朗哥一邊；共和軍在哈拉馬、瓜達拉哈那、特魯厄耳及艾布羅河各地的一再浴血苦鬥通通無濟於事，不能不再衰三竭了。於是，在內戰爆發33個月後的1939年3月28日，佛朗哥軍終於攻入了餓孚滿地的馬德里城，共和政府終於全部瓦解。在這場戰爭中，西班牙人喪生及被迫逃亡者幾近百萬人，財產損毀更達100億美元之鉅。

生活雜誌甫一創刊便刊載了西班牙內戰的圖片。但編輯部從1937年起就一直充滿怨聲：“這麼多攝影記者甘冒生命之險去拍攝戰事照片，結果却不外給軍方抓起完事。兩邊都發佈宣傳照，都在指證對方毀屋傷人，而任何有利對方者則通通沒收掉了！”

不知是否因了佛朗哥軍對宣傳較爲低能，還是因了當時優秀攝影家與報導能手的同情幾乎盡在共和軍那邊，總之最精采的新聞圖文，泰半都是從共和軍陣線後面寄出的。生活雜誌對西班牙內戰雙方的報導比重，事實上可說即是美國全民感情的反映——生活雜誌在這點上曾報導過，當時同情共和軍的美國人便在百分之五十以上。當然也有

若干圖片來自另外那邊：德國第一轟炸高手赫慕德·庫爾特正在機艙駕駛着一架西班牙轟炸機飛行的那張照片（生活雜誌曾加轉載），大概即是第一張公開發表的轟炸出擊照；佛朗哥的新兵穿上嶄新制服在街頭歡然拍照留念的那一張（見本書第15頁）也極動人；此外，生活雜誌轉載過的那些關於政變軍反攻特魯厄耳的圖片，編輯所加按語即是：“在西班牙軍方所發照片中檢扣最少的了。”

生活雜誌也刊出了西班牙政府軍的女兵圖片（見第14頁），指出這正是“西班牙政府最成功的宣傳——但可怖的眞相是：填滿馬德里城周戰壕的，便正是這些英勇得近乎愚蠢的西班牙婦女的屍體！”一個月後，生活雜誌再次刊用了通訊社所發佈的地毯式轟炸照片，評論說：“西班牙內戰的最大錯誤即是叛變將軍佛朗哥那一夷平馬德里的轟炸決定：‘不論有多心痛，都得把它掃光！’其實這場歐洲國家首都首次所挨的大轟炸，不僅完全未能摧毀城內守軍的士氣，反使中產階級大量投向政府那邊，而且把全世界都駭壞了！”

生活雜誌創刊僅僅五週，一塊里程碑便出現了：一個化名“羅拔·卡帕”的匈牙利青年，自巴黎設法進入馬德里，給生活雜誌供應了一篇簡要圖文報導：一套圖片是國際旅團官兵正在馬德里龐大大學城的一間化學實驗室內宿營；此外則是民衆正歡然凝視政府機羣飛掠頭頂的特寫。卡帕與妻子格爾達·坦羅以及友人“希穆”（大衞·舍謨）所攝的照片，從此以迄內戰告終，一直便是生活雜誌的瑰寶；它們使生活雜誌讀者得以窺見戰爭的酷虐兇殘，突梯滑稽，以及戰爭犧牲者的莊嚴勇烈，從而獲致了一系列冷酷眞實的新體驗。卡帕和友人所攝的，包括了進軍馬德里（第22頁），另兩篇巴塞隆納之戰，以及初期首都圍城塹壕戰諸役的描述。在這些圖片外，生活雜誌還刊佈了共和軍在特魯厄耳的肉搏勝利，卡帕親臨前線攝得的強渡色格勒河（第16-17頁），以及1939年2月巴塞隆納之陷落——生活雜誌對此的頭條標題是：“當代出埃及記：狂奔法國的西班牙人潮”。一個月後，生活雜誌更以下列標題，報導了隨伴馬德里之陷而來的戰爭的結束：“佛朗哥西班牙進入歐洲獨裁陣營了！”

就在這時，地球上其他地帶的鬥爭，特別是中國的對日抗戰，都已相繼冉冉現形，作爲這些鬥爭之總決戰的第二次世界大戰，也已近在眉睫的六個月後的事了。生活雜誌這時業已深入人心，成了舉世首屈一指的畫報，總算從西班牙戰爭裏學到了該學到的東西——它發現戰爭絕不是僅靠官方發佈的圖片即可如實報導出來的，唯雜誌自身派出的專業人員始足勝任此種工作。生活雜誌永不曾忘掉這一敎訓。

戰爭的代價

本書所收照片，分別來自許多不同的攝影家；本處這張即由羅拔‧卡帕拍成，它不僅是羅拔‧卡帕個人整個攝影生涯的界碑，同時也正是一幅改變現代戰爭攝影方向的精采圖片。約翰‧赫賽，後來那部堪稱古典名作的《廣島》一書作者，曾在1947年寫過一篇對卡帕特加介紹的題名《自我製造者》的文章。赫賽縷陳一個傑出青年攝影家安德烈‧傅瑞曼，如何在巴黎與當時尚是女友的格爾達‧坦羅，計議塑製一個"三人小組"的往事：安德烈自稱黑房技師，格爾達則為秘書，二人同時受雇於一位虛構是正在訪問法國的美國攝影名師，並給這位名師定名為"羅拔‧卡帕"——格爾達把烏有先生"卡帕"所攝的照片，以當時市值三倍的高價售出，說這位闊人身價奇高，非收這個價錢不可；事實上照片全是安德烈拍出來的。這套把戲終於給一名法國編輯揭穿了，但此公絲毫不以為忤，反而對安德烈及那時已與安德烈締婚的格爾達兩夫婦的生意頭腦大加激賞，特別把他們送去了西班牙。赫賽接着便叙述這位傅瑞曼‧卡帕，如何在西班牙安達露西亞一條戰壕中，拍攝到了一羣鬥志高張却未經訓練的政府志願軍，對政變軍一個機鎗陣地的猛撲——他蹲伏壕內，在機鎗怒吼中把相機怯生生探出壕頭，居然拍到了一名志願兵正在朝後仆倒的照片。這捲未沖洗的膠捲寄抵巴黎，兩個月後他便獲知這張照片業已傳遍全球，"卡帕"從此便馳名國際了。

1975年出版的一部名為《陣亡初影》的研究戰地報導的專書，對卡帕這幅歷史性照片的真實性，曾提出了若干馬後砲式的疑問。該書作者菲利浦‧奈特勒引用卡帕和格爾達一位友人的話，說卡帕夫婦的親密同事"希穆"（大衞‧舍謨）曾暗示這張照片根本不是卡帕拍的，不過"希穆"究竟說這是他自己的作品還是格爾達的，這位友人却完全記不清了。當時給政府軍士兵通稱為"紅髮小妞"的格爾達，已於1937年布汝奈特一戰為政府軍戰車所失手輾斃，"希穆"亦在1956年因了報導埃及戰事不幸殉身，而卡帕本人同樣亦業經於後來的越南戰爭中觸雷而死，因此這一疑團恐怕只好永成懸案了。此外，偶爾還有這張照片恐屬偽造的懷疑（主要的指摘是照中那名士兵身上就根本不見任何彈孔），這當然也同是無從置答的。不過這些通通沒關係：卡帕這張照片仍永不失為一件說明戰爭代價的不朽的圖誌。

西班牙政府軍一名士兵，在科多巴進攻政變軍據點時仆倒死去的一瞬。本照片為羅拔‧卡帕在1936年所攝，已是史上不朽的戰爭名照了。

1936年秋，巴塞隆納區剛被徵召入伍的政府軍
民兵隊女兵，正神色堅毅地整隊集合。一營女
兵參加了馬德里慘烈戰鬥，戰死者達數百名。

佛朗哥軍的新兵，在開赴戰場前先擺好姿勢請
街頭攝影師拍照留念。旁立者是正在輪候的。

1938年11月，政府軍渡過色格勒河，一名士兵
站立垣後避彈，另一名也朝該處急奔。卡帕在
拍攝時，連相機都受到了政變軍炮火的震撼。

1937－38年冬，一名為政變軍狙擊手射殺的政
府軍士兵，就這樣蜷縮撐架在北特魯厄耳一株
樹的枝枒之上；他是在安裝電話線時被殺的。

16

父親抱着受傷兒子逃離正在兩軍爭奪中的特魯
厄耳。兒子滿臉淚痕，腿上鮮血仍在粗陋紗布
下汨汨流出，一見攝影員便立刻把臉避開了。

1937年12月政府軍攻下特魯厄耳，受傷軍人正
受到袍澤的攙扶。次年 2 月此城即復行易手。

1939年 2 月，巴塞隆納政府軍軍民約50萬人在
政變軍追擊下逃入法境。給大人攙着蹣跚穿越
橄欖叢的男孩的腿，便是被攻城戰火奪去的。

1939年1月巴塞隆納陷後，政府軍也攜同裝備
參加逃亡，在普色達與波爾馬丹間進入法境。

神情呆滯、步履沉重的西班牙逃亡人民，正趕
着牲口和滿載家財的大車，在1939年2月的雨
雪泥濘途中，自波爾馬丹附近越境逃赴法國。

西班牙逃亡人民正在拉·西拉徑口附近等待天
明後法國邊境的開放;法國武裝兵在邊界彼方
監視着。朝霧中雜有破毀農舍焚燒冒出的煙。

馬德里攻防戰的傷員正在扶回後方。這座西班
牙首都自1936年11月政變軍首次逼攻開始,直
至1939年3月陷落,經歷了長期的拉鋸戰鬥。

中日戰爭

1936年生活雜誌剛創刊時，擁有 4 億 5 千萬人口的龐大中國，已在形形色色的戰爭中漸就統一了。造成這一統一局面的，是1928年在蔣介石將軍領導下改組新建的中華民國國民政府。在統一過程中蔣氏所面對的軍事對抗力量來自三方面：(1) 中國各地的軍閥；(2) 曾以國民黨跨黨份子身份參加第一期北伐，但已於1927年為國民黨清除出黨的中國共產黨人領導的叛亂武裝；(3) 日本的侵略。三者對蔣氏的壓力此伏彼起，而以來自日本者最為嚴重。

日本雖是孤懸中國東海之外的一羣島嶼，但早自秦漢開始，便已與中國大陸常有往來。日本皇室所屬的天孫族，根本即是秦漢時期的中國移民，以後歷代也都有中國朝鮮的大量移民注入。因此，日本一遇國勢膨脹時代，往往就滋生西向拓展的野心，要向朝鮮及長為朝鮮宗主國的中國侵略——古代神功皇后的遠伐三韓，其後“大化革新”初期的侵略百濟，以及近代倭寇的為禍中國海疆，乃至豐臣秀吉的妄圖吞韓伐明，都是史事中的犖犖大者。

及至百年前日本經“明治維新”漸臻富強後，擴張野心更一變而為所謂“八紘一宇”的美夢，要先併滿蒙、繼滅中國、進而問鼎全世界。首先是一戰勝清，奪台灣，併朝鮮，攫遼東；十年後再戰勝俄，控制了中國東三省南半部；此後更參加了八國聯軍及第一次世界大戰諸役，在中國取得了廣大的築路採礦、內河航行、租界、租借地乃至在東北華北駐兵並劃福建為勢力範圍等特權，逐步向亡華目標急進。

到蔣氏領導的國民政府在形式上統一全國後，積極推進工業國防建設與財政教育改革，日本惟恐中國強盛難制，於是加快侵略步伐；首先悍然發動1931年的“九一八事變”，佔領東三省全部，繼佔熱河，建立了傀儡政權偽“滿洲國”；緊接着更攻入山海關，進侵長城，唆使蒙旗叛王西攻綏遠，不僅強佔冀東，建立了另一傀儡政權，還要用軍事壓力堅逼國府同意“華北五省特殊化”，以便早日囊括華北。中國政府一再忍辱負重，虛與委蛇，力求爭取建軍建國的時間；拖延到1937年，日本軍國主義者終於不耐，決心展開全面侵略——就在西班牙內戰瞬屆一年的 7 月 7 日，日軍即於北平附近宛平縣境的蘆溝橋向國軍挑釁，掀起了它謂為“支那事變”的“七七事變”，更於8月13日以“膺懲暴支”之名大舉進犯上海；中國政府只好宣佈對日全面抗戰了。

自九一八事變至七七事變這一抗戰形勢的演成，與中國政府在統一全國努力後期所進行的兩大門爭自也極有關係。1930年閻錫山馮玉祥二人所率的全國最後最大地方武力叛抗中央，蔣氏集中力量加以征討，雙方精銳損耗甚多，對日本次年那一全吞東北的決心不無鼓勵作用；此時期中共在贛南、皖北、湘西、桂西各地的叛亂也日益激烈，1931年甚且建立"中華蘇維埃"政權，四向侵攻。中國政府認定對日抗戰時機尚不成熟，而攘外必先安內；所以蔣氏在征討閻馮甫勝之後，又調動大軍，對中共先後展開五次大規模圍剿，以求解決這一心腹大患；共軍被迫經西南向西北逃竄，進行其所謂"二萬五千里長征"。

到1935年秋，各股共軍陸續逃抵陝北，殘部不足萬人，覆滅已屬指日可待。(創刊甫三閱月的生活雜誌曾在1937年初刊出了兩篇介紹中共的附圖長文，一篇題爲"他的名字是毛澤東，他的人頭賞格是二十五萬元！"即是介紹中共這段苦境的。)這時中共只好收起蘇維埃旗號，暫時不提共產主義而改口大唱民族主義以爭取同情。他們一面透過各地潛伏的共黨份子和同路人鼓吹"抗日統一戰線運動"，一面促成了負責最後剿共行動的張學良突然叛變而拘扣蔣氏的"西安事變"；結果是剿共軍事行動暫時停止，全國抗日情緒迅速高漲，日本恐怕中國將迅速趨於統一，於是決定採取激烈行動，使抗戰終不能不在中國準備仍極不足的絕對不利時機之下提前爆發。

中國對日抗戰歷時八年，前半期是獨力苦撐，後半期則與第二次世界大戰相併，到1945年8月始獲最後勝利。獨力苦撐期間戰局之不利自不待言：日軍迅速奪得北平天津，不到半年便攻下了上海和首都南京，次年10月更佔領了漢口，華北各大城和全部鐵路線也都落入日軍手中，生活雜誌那時預料中國這場戰爭已經"輸定"了——然而蔣氏在工礦、港口、兵工廠和空軍泰半已化烏有之後，仍決定抗戰到底；以叢山環拱的重慶爲陪都，各級學校和各種工業因陋就簡地迅速重建起來，國外供應品的數量雖極有限，也仍能經由外國如緬越蘇聯源源滲入；中國居然仍能挺立不屈。

在這段偏處中國西南部的艱苦日子之中，中國軍民不僅要咬牙忍耐日軍的多方面進迫和疲勞轟炸，還得抵受物資匱乏、通貨膨脹、官常漸壞、士氣日低的重重折磨。1941年12月日本突襲珍珠港，美英兩國參加共同對日作戰，中國軍民一度甚感鼓舞，但美英在亞洲及太平洋的戰事也連遭敗績，而即使到扭轉逆勢後，仍只着重於其他戰場，對中國戰場出力甚微；國軍甚至還得派出遠征軍赴緬甸及印度作戰。

生活雜誌對亞洲從未忽略。它在1936年詳細報導了中國人民如何"拿出私房錢來買了50架多屬美製的飛機，向領袖蔣委員長獻機祝壽。"刊有羅拔·卡帕首批西班牙內戰圖片的生活雜誌，同期便有兩篇中國報導：(1)介紹了扣押蔣委員長的那位"本週小人"張學良少帥；(2)對"本週英雄"蔣介石將軍的描述是："這位最高領袖領導的人民比希特勒墨索里尼或史達林的都多；他在歷時十三年的二十餘戰中蕩平軍閥，打垮紅軍，獲致了1911年清室覆亡後中國的空前統一。"

生活雜誌編者在中國戰事進行中，與許多傑出的自由攝影家建起了聯繫。其間有最早攝得毛澤東和紅軍歷史性圖片的艾德格·史諾，有先作日本國內報導繼隨日軍親上戰場的名取洋之介，還有一位可在雙方自由往來，對日軍攻略華北作出了詳細報導的瑞士人畢爾特·布拉斯哈德。此後數月，生活雜誌更把保羅·杜思勒、卡爾·米丹斯及尚在西班牙的羅拔·卡帕這些專屬記者先後派去了中國。這份充滿初生朝氣的雜誌，對遠東新聞的處理一直愛憎分明，甚至常會有所偏袒，1941年12月7日後的態度自更份外激烈。不過編輯們的主要着眼點仍在圖片本身；來自任何一方的精彩圖片，只要富有新聞價值，不論多愛國的編輯也不會不用。生活讀者因此一樣可以看到名取介紹日本國內生活的文章和他的前線報導，編者對它們的形容是："對於正在攻伐中國的日本人當作人的初次報導。"

當然，基於雜誌立場，編輯們仍無法不對這些圖片特加按語曰："日本人本身其實不行，只是集體合作特別出色而已"(名取此人容屬例外)；"日本人那套惑人的彬彬有禮，全不外習慣因襲罷了"，等等。此外，生活雜誌對日本侵華之戰也實在過份掉以輕心。它在1937年第八期便說："日軍從未碰過第一流敵手。他們裝備不當，而且大都早就落伍了。"1938年10月又說："日軍戰線拉得太長，必會在漏洞處所受到華軍的致命側擊。"待到1939年更說："戰事對日本愈來愈糟，日本商人已經不想再打了。"

生活雜誌這類誤斷實即美國廣大民意的反映。它在應於1941年12月8日發行的該期社論中還說："無論如何，美國人總覺得日本是不堪一擊的……美國人安然深信一切麻煩都有强大的海軍對付。"上一期社論更說："馬尼拉夏威夷的防務空前堅強。海軍即可出動！"

然而一切都有圖爲證——生活雜誌的中國抗戰報導也確集精彩照片之大成：重慶防空壕大窒息案(第30頁)；空襲焚城(第28-29頁)；兵燹中黯然進食的廣州居民子遺(第32頁)；南京之陷與陷後屠殺(第31頁)；穿越霧林的如畫軍伍(第50-51頁)；中國遇難兒童的入殮(第33頁)……這些足供終古長存的戰爭紀念照便正是遠勝千言萬語的。

陷入戰火

許多傑出戰爭照片的眞實性，往往無可避免地會受到某些懷疑，這裏的照片也不例外。這張名照是由曾爲赫斯特屬下新聞片"今日新聞"的攝影師，舉世習知爲"新聞片王"的H‧S‧王，在日機空襲上海後拍攝的；照中那個橫遭摧折的小可憐形相，經由生活雜誌巨大篇幅的刊佈，瞬即震撼全球——這時便出現了一位自稱曾爲新聞記者的讀者寫信給生活雜誌，說他知道這張照片的內幕，指責這張照片僅是"中國人的宣傳把戲"。他說：王某搞這把戲時，孩子的母親事實上就在站立王某身後看熱鬧的人羣之中，孩子只不過是受驚而哭罷了。

但福士有聲新聞電影的記者邦尼‧鮑威爾立刻提出異議，說他當時就親自在場，見到孩子"立即受到急救，我們的新聞片便拍過這一鏡頭。"他更補充說："孩子身受好幾處重傷，右肩炸壞了，左臂自肘以下也整個炸掉了！"——從另一角度拍下的這孩子的照片，便清晰拍出了這些創傷；鮑威爾根本懷疑那孩子是否還能夠活下去。新聞片王的眞誠令譽，當下立刻恢復。

生活雜誌這時還特聘了它盛譽爲"日本最偉大攝影家"的名取洋之介，來從事這場戰爭的彼方報導（第50-51頁那幅照片，即是名取的作品）。生活雜誌的專屬攝影記者也調到中國來了。羅拔‧卡帕自西班牙飛抵中國後，曾就中國人與歐洲人對痛苦的殊異忍耐力加以比較，說："面對着中國輕傷士兵的行列，我感到業已首次體察到了這一民族的與衆不同：這是一場中國數千年歷史罕見的艱苦戰爭，然而從火線上掛彩下來的人，却一個個肅穆無聲，不見畏怖，絲毫沒有歐洲傷兵那種痛苦神色；人人只是安然列隊前行，彷彿己身的痛苦根本是毋需在意的。"

派赴中國的其他攝影記者還有卡爾‧米丹斯夫婦，他們在1941年對中國軍隊曾有如次報導："現代化工業大國法國，在僅僅六個星期內便給打垮了；日本人對落後的中國，却整整四年都還沒法子把它打下來，此中首要的原因，固然是蔣委員長軍隊的韌力，其次則是供給兵源的中國那些獨立自足的小型農村。"這場戰爭接着還打了四年，直接貫通第二次世界大戰；生活雜誌也一直繼續在作報導。

1937年8月28日正午，日機大炸上海南站，麕集候車的婦孺被炸死二百餘名，傷者更不計其數；本圖是炸後的情景，車站殘骸猶自冒烟，滿身是血的幼兒在劇痛震駭中嚎咷大哭。這張照片迅即傳遍全球，掀起了強烈的反日情緒。

1940年6月28日，86架日本轟炸機，編隊進行對重慶超過三小時的空襲，使本圖後部滿佈木樓的舊城區幾乎全爲大火所毀；本圖攝自當時長江南岸的山上。重慶在抗戰中曾經遭受多次轟炸，但因日機所用炸彈多非重磅，所以混凝土的建築物如非直接受炸，多半仍能保全，而新的建築物也在炸後廢墟上不斷興建，使重慶得在戰火下始終保持其中樞機能而長期矗立。

1937年12月中旬日軍攻陷南京，對全城展開了
長達數週的屠殺搜掠，震動整個世界。這是南
京瀕陷前，城外日軍鐵絲網柵上高置示儆的一
顆中國抗日義士人頭，因寒風而保持未腐者。

陷身1937年南京圍城的歐美人士，曾臨時設置
了一個大體尚受日軍尊重的安全區，收容了約
150,000名中國難民。圖示一名爲炸彈破片所傷
的中國孩子，正由父親捧抱着進入安全區去。

1941年6月5日日機對重慶進行長達5小時的
疲勞轟炸，一條長達2.5公里的防空洞中擠滿了
躲避空襲的市民，結果因通風道及走道受阻，
數以千計的人窒息而死，屍體滿佈洞口石階。

1938年10月21日，日軍佔領廣州，大肆屠殺。
圖爲國軍大部隊在先一日撤退後滿城大火，僅
剩一名聽天由命的苦力正在默坐進餐的情景。

一名死於戰火的兒童正換上新鞋準備殮葬；前
方席片掩着的和後方粗陋棺木中裝着的，盡是
戰爭罹難者的屍體。本圖攝於1937－38年冬。

1937年9月，日軍攻佔河北保定，在滿地泥濘的街道上踏步入城；未能撤走的居民全部被迫手持太陽旗鵠立街邊，神情呆滯地作歡迎狀。

1938年7月4日，蔣委員長主持最高軍事會議
一景：蔣氏右側為軍政部長何應欽及第二戰區
司令長官陳誠，蔣氏左側為內政部長俞飛鵬。

1938年10月武漢陷落前夕，漢口在攻防戰中着
火延燒，一名逃出街頭的婦人正兀坐看守全部
家當，怔視吞噬家園的烈焰，勉強揮扇擋熱。

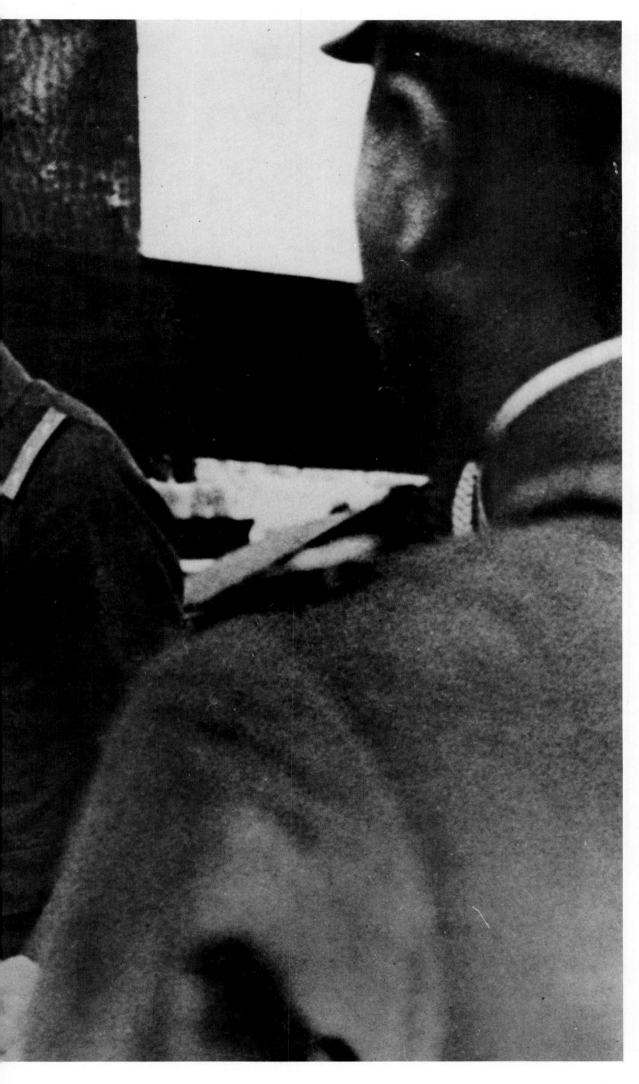

日軍經57日鏖戰，1938年5月19日佔領徐州，
爲進窺華中工業重鎮漢口跨一大步。日軍的北
支那派遣軍司令官寺內壽一大將（左）正與中支
那派遣軍司令官畑俊六大將舉杯祝捷的鏡頭。

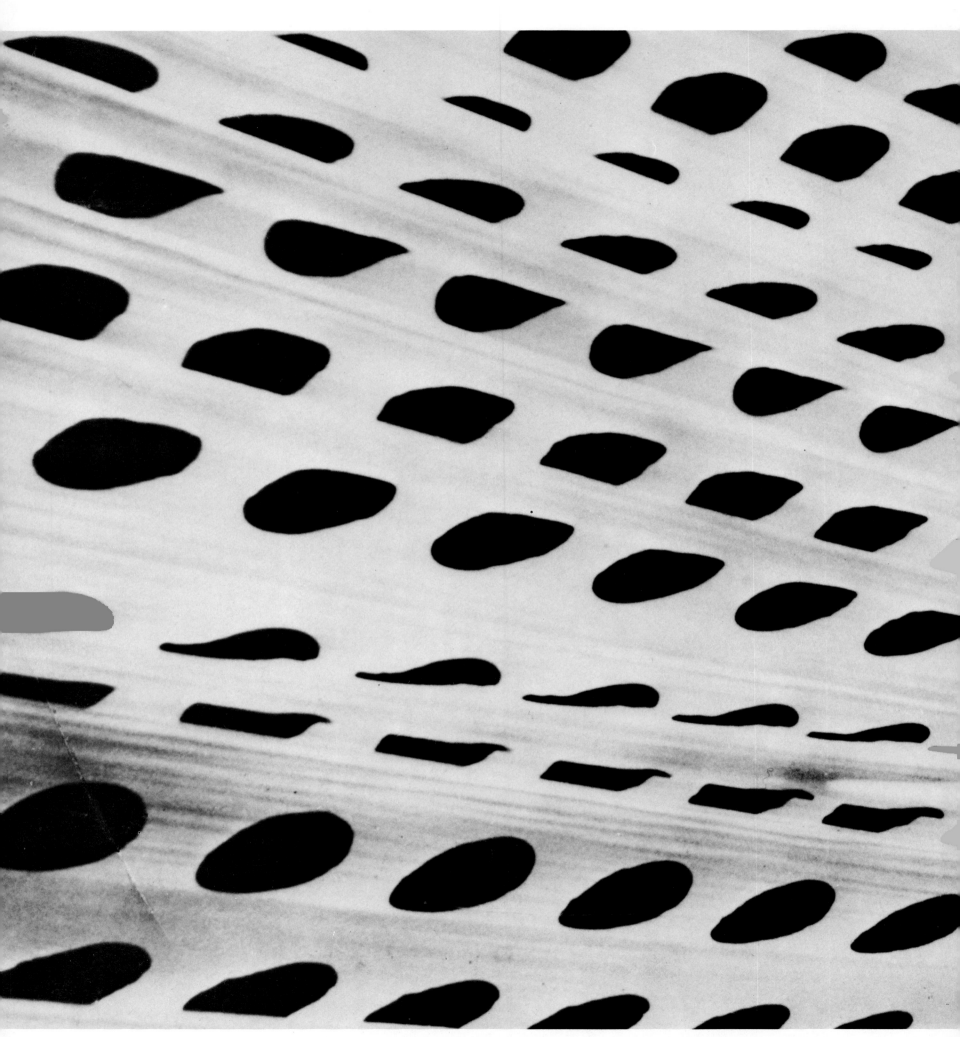

一條條旭日徽壓印在長捲白布之上，掛起晾乾 後即可輕易裁成一幅幅小型太陽旗；這一積極 製旗的努力，正表現了日本在1936－37年間的 戰爭狂熱——同時也表現了它的大量生產力。

中國的著名城壘防線萬里長城尚有另一妙用：
同時可作守軍來往馳援的大道。本圖即1937年
7月抗戰爆發後，國軍沿長城開赴前線情景。

中國古都北平早在1937年7月29日即為日軍佔
領，成了抗戰時期中國最初陷落的大城。圖為
8月8日日軍列隊開上北平永定門城樓情景。

1937年8月13日日軍進攻上海，受到了開始全
面抗戰的國軍三閱月的堅強抵抗，11月9日始
將上海攻陷。圖為戴上防毒面具的日軍，成奎
衝過磚瓦滿地的街頭，掃蕩國軍狙擊兵情景。

一名乘搭着運兵列車開赴前線的年輕的日本新兵，在列車剛啓行時正緊握拳頭憑窗外望，臉上一片憂惶不寧的神色。本圖攝於1939年夏。

1938年春國軍台兒莊大捷後的漢口勝利大遊行盛況——中山巨像後面的軍隊、學生和興奮民眾的行列一望無邊，孩子們全擁到街上來了。

由步兵和機鎗兵組成的一支國軍增援部隊在快步通過台兒莊莊外地帶，前往參加正據守莊垣抵抗日軍攻擊的守軍行列。部隊高舉着所屬國軍第31師的軍旗，後隊中搬運着的便是國軍配備的外國製重機鎗。四週是剛在萌芽的樹木。

1938年10月日軍以長時間急行軍溯江西上攻佔
漢口，圖爲三名就長椅枕臂而眠的疲憊日兵。

48

1937年12月14日南京失陷，中國敢死隊即在城內展開了頑強的狙擊活動——圖中這名被擒敢死隊員從容就義的情景在當時是司空見慣的。

1941年秋中國中央軍官學校西安分校學生的用膳鏡頭。畢業後即分發勁旅帶兵的軍校學生，都能藉粗糲伙食來維持每日行軍30哩的精力。

名取洋之介這張照片，構圖及明暗俱臻妙境，描繪了正溯長江西上日軍的疲憊行軍情態。這是他為生活雜誌拍攝的戰爭報導圖片中極其精采的一張。名取即因他這些報導而馳名世界。

1938年10月日軍經89日激戰後終於佔領漢口，
在火車站照例拍照留念，高呼萬歲作勝利狀。

52

第二次
世界大戰

生活雜誌1939年9月11日報導說："神經戰、威脅和暴行故事已在上週轉爲射擊戰了！"第二次世界大戰就此揭幕。這場歷時六年、死難逾三千五百萬人的戰爭，正是人類有史以來最可怖的刀兵大劫。它絕非歷史上最長的戰爭——即使在近代，越南戰爭（本書第5章）就前後拖了整三十年。但以殺戮之慘、戰區之廣、破壞之烈、以及對人類命運的影響之大而言，第二次世界大戰全是獨佔魁首，沒有任何戰爭足能和它相比的。

這場大戰醞釀了整二十年。戰爭的啟釁誠然和那個奧國出生的政治狂徒阿道夫·希特勒密切相關，但戰爭的基本原因却遠爲複雜，必須上溯至第一次世界大戰的結束。1919年獲得最後勝利的協約國，強加給當時那個戰敗投降、民窮財盡的德國的，乃是一套充滿報復色彩的和平條件，使德國極難復歸戰後任何友善國際集團；此外的俄國革命，則不僅使俄國和原來那些西方盟國全盤交惡，更使德國中產階級在深心中充滿了對共產主義的恐怖；這二者全是政治煽動家可資利用的大好機會。

歐亞兩洲的政治煽動家，對這種大好機會便竭盡了利用之能事。一個意大利曾經信仰社會主義的新聞記者白尼托·墨索里尼，這時便創立了"法西斯主義"，率領黨徒在1922年進軍羅馬，奪得政權。日本的軍國主義者也同時得勢，計劃着逐步征服整個亞洲。希特勒也率領着納粹黨緊躡墨索里尼之後，次年便開始在德國逐步取得了權力，到1932年受任爲總理。在這一時期的法國人却沉迷於"牢不可破的"馬奇諾防線所形成的安全幻覺，而英國政治家更完全無視納粹領袖的那種顯然永無止境的領土野心，竟一味只採用綏撫政策——於是這位德國領袖便在1938年3月合併了奧地利，該年9月在慕尼黑提出了對捷克所屬蘇德台區的"最後領土要求"，待到英法復加接納，他再更進一步侵佔了整個捷克。

這段時期的美國，由於對第一次世界大戰結局的反感，本就是早已不問歐洲事務，不理其他民主國家籌組的任何雛型國際組織的，其後更因了國內華爾街股票市場的崩潰與全國大蕭條而變得愈益內向，形成了一種強烈的"美國第一心理"的抬頭。於是大戰就在這時候，在1939年9月1日爆發了——希特勒藉口波蘭"入侵"，首先派機大炸格狄尼亞、克拉庫夫與卡托維徹，繼更遍襲華沙及另外25個波蘭城市；英法二國同時向德國遞送最後通牒，要德軍立即撤出波蘭，希特勒當然置之不理，於是生活雜誌遂琅琅傳報云："英皇陛下的政府業於午前11時與德意志第三帝國進入戰爭狀態。法國亦於午後5時宣戰。第二次國際大廝殺開始了！"

波蘭在27日內即完全崩潰，成了希特勒新創閃電戰術──俯衝機轟炸、裝甲兵衝鋒與步兵攻擊之高度有效配合的協同作戰──的犧牲品。1940年4月，丹麥在四小時戰鬥後繼遭攻佔；5月，挪威復受德軍猛襲，被佔領前居然英勇抵抗了62天；然後便是德軍的移師西向，荷蘭只頂了5天，比利時也只頂了18天。

接着的法蘭西戰役持續了約40日。德軍裝甲部隊出奇制勝地竟繞過馬奇諾防線南端，衝過咸信爲不可穿越的亞耳丁森林而迂迴北上，使盟軍大部隊不得不被逼退到英法海峽的鄧寇克海灘，全靠英國出動各種大小船隻搶救，才算把338,226名軍人撤回了英國。6月10日，意大利也終於參戰，加入德方。6月25日，法蘭西戰役便全部結束了。

然後，在1940及1941這兩年，正值日機狂炸重慶的時候，德國空軍也不停地空襲英國，英國皇家空軍的英勇攔截，總算贏得了這次天空戰役的輝煌勝利。這時的美國終於開始對納粹的嚴重威脅作出反應了。美國國會以租借法案這一手法巧妙迴避了前此中立法案對於向交戰國供應軍需所作的禁制；此外，授權美國政府徵召國防軍的兵役法案也獲通過，美國工廠開始轉向武器軍備的全速生產了。

這樣，到了1941年12月7日，日機偷襲珍珠港，美國畢竟捲入了戰爭──日本在1940年即與德意二國締結了軸心國協約，規定三國互助抗敵的，因此美國與德意二國同時自動進入交戰狀態，美國國會在對日宣戰後數日即向德意正式宣戰。參戰後的美國這才吃驚地發現：太平洋上的日本實是一個裝備精良、鬥志旺盛而且驍勇善戰的強敵，美國無法不和它長期僵持，逐島爭奪，從事一系列犧牲兵員數以萬計的殊死纏鬥。幸而歐洲方面希特勒自行悍然撕毀德蘇互不侵犯條約，東向攻俄，使盟軍所受壓力從此大爲減輕。德軍最初橫掃蘇境，銳不可當，但這股凌厲的攻勢終不能不隨着時間的推移而日趨遲滯，此後便是蘇軍的徐緩堅定的逐步反攻，開始把德軍朝後趕了。

1944年蘇軍蠭擁橫越東歐，逐向德境推進；美英加三國盟軍也開始叩擊歐陸西垣，6月6日在諾曼第海灘登陸。這時北非業爲主要是英軍的盟軍奪回，意大利亦已半入盟軍之手，在諾曼第登陸前兩日連羅馬都攻下了。太平洋方面，盟軍已自馬紹爾羣島基地躍進1,150哩大洋，登陸距東京僅1,430哩的塞班島，美國第20航空隊轟炸機亦自中國基地起飛遠襲日本九州，將八幡地方的帝國製鐵會社整個化爲火海。同時，中國駐印遠征軍亦開始配合美英盟軍反攻緬甸，經苦戰後終於克服密芝那，打通中印公路，重開了中國西部的國際通道。

不過中國戰場本身的戰局却曾經一度極端惡化。日本爲了崩潰前的最後掙扎，這時與本已簽有"日蘇互不侵犯條約"的蘇聯進一步協議撤軍，將關東軍精銳大量抽調入關，冀圖打開一條自新加坡經中南半島、中國、朝鮮而直達日本的"大陸交通線"；於是中國國軍連年固守且曾三獲大捷的長沙，在1944年6月18日終於不保，衡陽經月餘浴血苦戰後亦終爲日軍所奪，接着便是湘桂大撤退，日軍兇鋒西陷桂林柳州，北越獨山，以迄在貴陽附近爲國軍空運精銳所挫而止──這是日軍在中國戰場的迴光返照，所激起的恰是使中國士氣愈益昂揚的"十萬青年十萬軍"的大中學生從軍運動，然後便是從軍青年參與下的湘西大捷；在華日軍至是已成強弩之末，下距日本的無條件投降亦期不在遠了。

1945年3月，美軍巴頓將軍麾下第三軍的裝甲部隊渡過萊因河，4月柏林即爲蘇軍攻陷；希特勒在防空室自殺；5月8日德國政府在法北理姆斯一間課室內向西方盟國及蘇聯正式投降，歐洲戰事宣告勝利結束。三月後的8月6日，美國的一架名爲"艾羅拉·格"的B-29轟炸機向廣島投下第一顆原子彈，炸死者逾八萬人；三天後第二顆原子彈在長崎爆炸。8月15日日本亦宣佈無條件投降；9月2日日本代表團在美海軍旗艦米蘇里號上簽署降書，全面結束了第二次世界大戰。

從生活雜誌的新聞觀點看來，第二次世界大戰頭兩年美國之未曾參戰實予雜誌以莫大的中立好處，使雜誌對德、日、中國這些交戰雙方都能兼有長期的圖文報導。德國空軍及傘兵以第一人稱寫下的"親炸倫敦記""我們如何拿下克利地"之類記述，可與捍衛鄧寇克天空的英國空軍英雄記述並峙齊呈；此外像巴黎的陷落，也同樣刊有來自雙方的報導──路易·P·羅西納報導了進入巴黎的德軍，而生活雜誌專屬記者安德烈·海斯克爾及卡爾·米丹斯則是隨同法軍向南撤退的。

待到美國參戰後，生活雜誌的探訪組更廣佈各戰區與盟軍後方，甚至包括蘇聯在內──德蘇戰爭剛剛爆發時馬嘉烈·波克-懷德就在蘇聯，因此她不僅在那期間給史達林拍照，連德機的夜襲與蘇聯的動員情態都通通拍下來了。

生活雜誌刊佈的照片，除了這一全球探訪網之所攝，還包括了其他一切可能來源提供的──新聞電影，圖片供應社，海陸空三軍及陸戰隊官方，士兵本身，以及各地業餘攝影者，應有盡有。總括說來，生活雜誌的第二次世界大戰圖片共分六類：士兵、歐洲戰場、亞洲戰場、大後方、各地戰禍受難者，以及各國淪陷區和它們的最後光復。

士兵羣相

第二次世界大戰雙方的戰略運用全甚高明，武器的威力也都空前強大，但勝負決定因素却絕非武器本身而仍然是人；因此戰場上的人（包括各國都出動過的若干女人在內）正是生活雜誌攝影機的主要對象。攝影記者要將這一大戰攝入鏡頭，無疑就不能不躬冒艱險。馬嘉烈·波克-懷德在1944年隨同美軍挺進意大利時，對此種逼近敵人感覺的描繪即是："迎面而來的鎗彈呼嘯着的就是你的名字！"她和兵士們一起在卡西諾北面的叢山積雪中蹣跚巡邏，好不容易才獵得若干圖片；等到她把這批照片打包寄交總部，兩日之後即獲知這一珍貴包裹竟在寄遞途中失竊了——說不定是被某個意大利飢民誤會為糧食包偷去了。

壽臻93、到死前的1973年仍甚活躍的那位偉大攝影家愛德華·史泰鏗上尉，曾率領一隊配屬美國海軍的隨軍攝影記者，攝下了許多傑出的圖片，其中一張即是第66～67頁所載的航空母艦"勒克辛頓號"上的景色。就在這張照片剛剛攝下、史泰鏗還留在艦上時，"勒克辛頓號"就被日機炸中，全艦重傷到幾乎無法駛回港口。

羅拔·蘭椎是最早受到日機攻擊的。1941年12月7日日機偷襲珍珠港時，他正在美國太平洋艦隊一艘巡洋艦上，因而得以對這次偷襲作出詳報（應該說，海軍新聞檢查官所能通過的詳報）。然後他便為任務而在非歐二洲前線穿梭奔走，為度假休養而在好萊塢各大攝影棚間周遊往來。1942年8月，蘭椎在北非隨同有名的英軍第八軍，追擊德軍那位"沙漠之狐"隆美爾元帥，拍下了一張毫無戰爭意味的祥和照片（見第71頁）：一位英國隨軍牧師正拉着小提琴，在主持沙漠前線的禮拜。

蘭椎拍攝的女明星照片也同樣流入戰場，成了各地美軍珍如拱璧的千萬封面女郎的一部份——駐紮在遙遠白令海上那串阿留申羣島的美軍，寂寞士兵們在他們活動營舍半圓形牆壁上貼得密密麻麻的，便是這些封面女郎的照片（見第68～69頁）。拍攝這張圖片的生活雜誌攝影記者德米特里·凱塞爾，曾於1921年俄國革命戰爭中在此與紅軍共同作戰，22年後又伴同美加部隊回到羣島上來了。日軍一度佔領阿留申，這時業已撤走，然而凱塞爾仍差點沒給日軍留下的一顆地雷要去老命。

凱塞爾的回憶提及阿留申羣島上那片無邊的寂寞，特別是渺無女性的那種飢渴情景。營裏的軍人能在晚上播放跳舞音樂，然而無舞可跳——直到兩名休假軍官在阿拉斯加的安科奈基一家服裝店買回來一具時裝模特兒模型，外帶一應服裝，阿穆契加基地的官兵們這才算有了"舞伴"，可以一個個輪班和它相擁而舞。然後，凱塞爾報導說："阿穆契加有個漂亮娃娃的消息瞬即遍傳各島。於是有一天一架降落阿穆契加的軍機載來了一個代表團，要求借用這'姑娘'去參加一個舞會。從此她便遊遍了阿留申羣島的幾乎每一個島嶼。"

由澳洲與紐西蘭身經百戰的精兵組成的澳紐兵團，正在距士兵家鄉遠達半個地球的利比亞沙漠中列隊稍息，時為戰事暫歇之際的1941年。

蘇軍的反戰車步兵在1942年參加史達林格勒保
衛戰之前，携帶着他們那種兩人一組的長鎗管
武器，圍成一圈，正向蘇維埃祖國宣誓効忠。

1942年夏天背負着戰壕用迫擊炮的蘇軍士兵。
這種便於携帶的武器在缺乏道路的蘇境，在重
武器未運抵前特能發揮阻遏敵軍攻擊的效用。

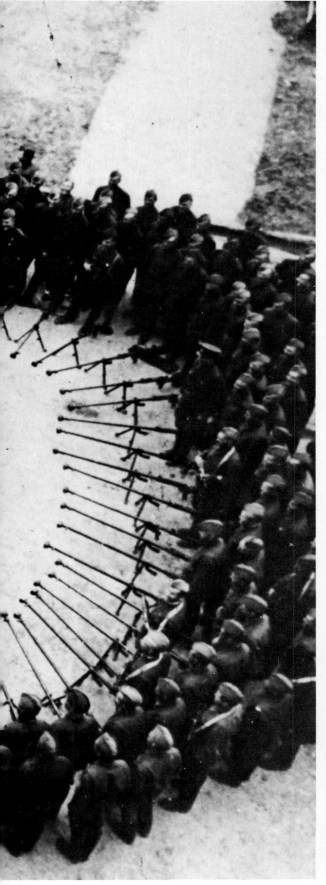

純由納粹黨員組成、當作後備部隊來訓練的納粹近衞軍，正整齊列隊聆聽他們元首的訓話。

1939年德軍即將進侵波蘭之際，待命部隊中一名緊握步鎗正在立正奉令的緊張的德國新兵。

1943年1月，德軍在東戰場的凜冽寒威下終被
蘇軍擊敗，本圖即為蘇軍所俘德軍士兵情景。

菲律賓的科里幾多爾要塞經日軍圍攻四月後終
於1942年5月7日陷落，美菲守軍全數出降。
生活雜誌三個月後所載的本圖得自中立人士。

1942年4月巴丹半島的美菲聯軍俘虜正在馬瑞
維勒接受日軍檢查，準備踏上那一使七萬人死
去一萬的55哩（88公里）巴丹"死亡行軍"之旅。

1943年7月美軍突擊隊及第一步兵師攻下西西里島格拉，意俘正涉水前往登陸艇等待輸送。

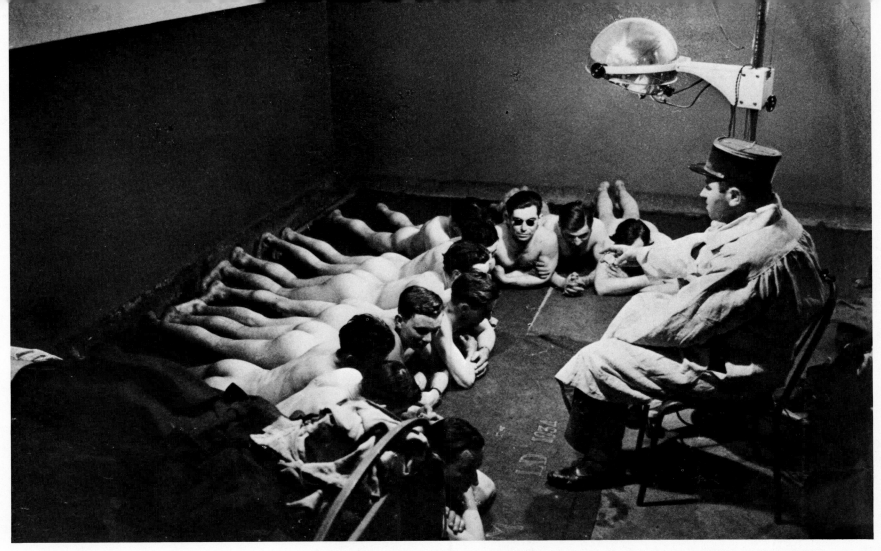

深藏馬奇諾防線 150 呎下的法軍士兵，由於不見陽光，正由軍醫監督照曬日光燈以資彌補。

一隊美兵趁着1942年瓜達康納爾戰事的間歇，羣聚河中浮木兩側浣濯泥垢。該地日軍經過長達半年的森林戰後，終於1943年2月被迫撤退。

1943年南太平洋港內一艘巡洋艦上英美水兵間的友誼賽。競技足供蘇息身心，艦上拳賽尤因佔地不多特別盛行。此次美方以九比五獲勝。

這是1943年12月美國航空母艦"勒克辛頓號"上的官兵，正準備要去進擊馬紹爾羣島西端瓜加林島的情景。攝影記者愛德華・史泰鏗在正午陽光下，用紅外線膠捲攝出了這幅宛如雕繡的戰爭名照——天空全黑，艦身背景悉呈灰色，份外凸出了站立着的那一列光輝人體的構圖。

一架降落在太平洋美國航空母艦"進取號"上的
飛機，正由降落指導官指揮着滑向艦尾機艙。
這艘母艦在1941年秒恰在輪值出航，因而得以
躲過12月7日那天日本空軍對珍珠港的偷襲。

最下圖："進取號"地勤人員穿着不同顏色的衣
服，分別標示各人的不同任務，正等待着太平
洋上一隊出擊空軍的歸來。本圖攝於1941年。

次頁：阿留申羣島阿達克島美軍活動營舍的內
壁貼滿封面女郎，藉以維持這一荒僻前進基地
官兵的士氣；它們多是從生活雜誌上剪下的。▶

利比亞境薩哈拉沙漠中作戰的澳軍，1941年攻
下基亞拉布布綠洲後，掘壕掩埋戰死的意軍。

北非厄爾・阿拉門附近荒漠上，一名英國隨軍
牧師正拉着小提琴，帶領着英軍教友同唱聖詩
及英國民歌。1942年 9 月，這支軍隊終於在此
擋住了德軍隆美爾元帥所率非洲兵團的猛撲。

1942年夏非洲沙漠之戰中，德軍一門88公厘口
徑的高速平射炮正踞峙戰壕，在向英軍戰車隊
開火。這種大炮在一次戰役內即將一支由 300
輛戰車組成的英軍部隊的戰車擊毀了230輛。

1945年春，挺進德國本土的盟軍勝利業已在望時，一名正在萊比錫樓宇陽台上架設機鎗作戰的美國機鎗兵，為德軍狙擊手命中身死情景。

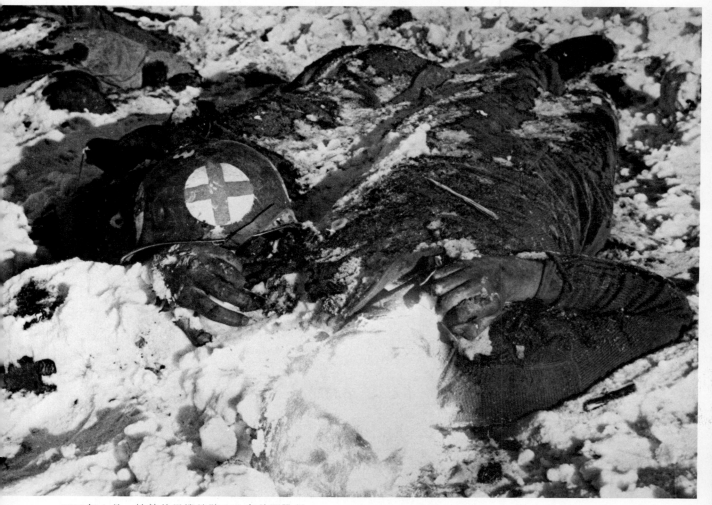

1945年1月，納粹曾用機鎗將115名美國戰俘掃射處死，是為有名的"馬爾麥底大屠殺"。這裏即是大屠殺中遇難的一名美軍醫護兵屍身。

突尼西亞的嘉夫薩－嘉伯斯路旁，整然有序地
排列着 120 座置有十字架和鋼盔的德軍墳墓。
墓中人全是1943年春在厄爾·桂塔谷陣亡的。

歐洲戰場

鄧寇克海灘的撤退，在當時是被視爲一項殊異勝利的：三十幾萬盟軍部隊業已陷入重圍，眼見即將掃數被俘，却居然能藉鄧寇克這個狹隘的缺口，被搶救渡越英法海峽撤回英國，因而躲過了一場全殲式的慘敗。不過鄧寇克撤退及繼之而來的1940年夏天的法國陷落，使盟軍擯諸歐洲大陸岸外幾達四年，自亦是一項不爭的事實。

在這四年裏，生活雜誌編者只能藉德蘇兩國官方發佈的圖片來點綴篇幅。這些照片的一部份，特別是希特勒進攻蘇聯時期的若干張（見第78～79頁），委實都十分精采。但因了這時並無西線戰爭，生活雜誌或任何西方出版物在這一方面所能報導者，除開英國空軍對德國控制區的突擊式夜襲及其後的大舉轟炸而外，其他的便幾等於零；生活雜誌在1941年10月所載那張轟炸科倫附近克納普薩克發電廠的照片（見第80頁），即屬此類圖片的代表。

盟軍重返歐陸之路，發軔於對歐陸"軟下腹"的攻擊——1943年夏英美聯軍開始橫越地中海，攻入了西西里島及意大利本土。但這條路只在開頭還算順利，跟着便變得出乎意料地舉步維艱，每一哩北進都得是整哩地面的摧毀，正如生活雜誌關於意大利卡西諾城那張觸目圖片（見第82～83頁）之所刻劃的。1944年 6 月 6 日，盟軍這才反攻西歐，在諾曼第海灘登陸。羅拔·卡帕就在第一批登陸部隊羣中，因而得以對"德軍的防禦工事和工事背後那片冒烟的海灘"，寫出了一篇繪影繪聲的報導。卡帕事後寫道：當他正略事逡巡，準備拍攝第一張登陸戰照片時，"那位值得同情的，只想儘早溜開這個倒霉地方的艇長，誤以爲我的拍照姿勢顯屬畏縮，於是對我的登陸勇氣特別幫忙，在我屁股上結結實實踢了一脚！"卡帕在灘頭射過來的一片彈雨中，儘快跑向最接近的鋼鐵掩體所在。他報導說："一個大兵和我同時到達，一起在那裏躲了幾分鐘。他拉開步鎗口的防水塞，不怎麼瞄準便立刻朝那片烟霧迷漫的灘頭開上幾鎗。靠着自己鎗聲的壯膽，他終於前進了。"

就在盟軍業已攻入法國之後，意大利境內的盟軍亦仍然處於膠着狀態。馬嘉烈·波克-懷德正在意境盟軍軍中，自身幾乎成爲戰士了。她努力試圖要在美軍炮兵每次發炮的同一時刻按下相機的快門，却怎麼樣都不成功；最後有人向她建議："你親自下令開炮，那就好辦多了！"於是，"每逢下一發炮彈即將射擊時，我便使出吃奶的氣力高呼：'好，準備，開炮！'"波克-懷德繼續報導說：當地那位炮兵司令將軍，對這一拍攝技術問題居然着迷到"沒過多久，將軍便拿起我的相機，在我下達開炮命令時，親自動手去替我拍攝了！"第81頁那張照片，即是波克-懷德（也許正便是那位將軍）所拍的。

英軍正在鄧寇克的狹窄海灘候船撤離。類似本圖所見的船許多都在中途擱淺或中炮沉沒，不過多數仍獲安然返航，救回了338,226名官兵。

英空軍賴山德式巡邏機在1941年低飛掠過蘇彝
士運河的鏡頭（左圖）。同年 3 月 31 日，一隊類
似的巡邏機首次在空中偵察出德軍戰車正在橫
過北非沙漠，表示德軍非洲兵團業已投入沙漠
戰鬥，企圖控制蘇彝士這條無比重要的航道。

1944年11月，英軍在荷蘭維色恩運河附近泥濘
道路上艱辛前進，泥濘稀薄到已幾可行舟。隨
伴着的是一輛輕機鎗履帶車所載的橡皮便艇。

1941年夏德軍正在蘇境挺進。圖為德軍裝甲師
所屬的一隊突擊隊，正搶在運兵車前撲向一個
蘇聯農莊，前往肅清藏匿莊內的蘇軍狙擊手。

1941年夏德軍攻入蘇聯佔據的波蘭東部。圖為德軍藉破毀木籬掩護，正圖逐出頑抗的守軍。

1942年蘇軍開始反攻。圖為向一座業為德軍縱火的城市推進的蘇軍正散開成散兵羣，圖前是機鎗手，圖左已被炮彈削斷的柳樹枒中站立着的，則是設在散兵羣後方掩護前進的狙擊手。

1940年5月德軍進侵比利時。圖為以手榴彈為主要武器每奏奇功的德軍突擊隊，正爬攀比軍設在山脊上的一座陣地外的護垣，準備撲攻。

美軍炮兵的磷光彈，在意大利一座山頭附近形
成輝煌的彈幕，藉便淆亂高地德軍炮火目標，
保護一架盟軍偵察機回航。本圖攝於1944年。

1941年英機空襲德國工業中心魯爾的主要電力
供應站即僅距科倫八哩的克納普薩克發電廠，
54架布倫海姆轟炸機中，未能返防者達12架。

意大利中部要鎮卡西諾，在1944年春盟軍沿意
境北上時，幾為盟軍的飛機轟炸與大炮射擊夷
為平地。本圖即該年3月15日卡西諾遭受轟炸
後不久，自低空飛機上攝得的可怖毀滅景象。

1944年6月6日諾曼第半島登陸戰中，一名美
兵正匍匐爬向海灘。本圖爲羅拔・卡帕所攝，
拍攝時連所持相機都受到了交綏炮火的震撼。

參與這一50哩長的諾曼第海岸登陸戰的是六師
盟軍——美軍三師，英軍二師，加軍一師——
的若干單位部隊。從登陸艇躍入齊胸的海水，
撲向奧馬哈灘的美軍即是登陸攻擊的第一波。

亞洲戰場

1941年12月7日日軍偷襲珍珠港所造成的破壞程度，當時沒有任何人（包括生活雜誌在內）有過完整報導。本處這張圖片和第88～89頁那兩張，都是在一年多之後才獲解禁刊登，而官方也是到這時才肯承認那次事件的損失實比前所宣佈者為大的。美國早期的軍事檢查尺度委實嚴得出奇，因而生活雜誌直到1943年始獲批准刊登第一張戰死美軍的照片，是即在新幾內亞布納地區"蛆蟲海灘"上鄰水躺臥着的三名美兵的屍體（見第99頁）——檢查官的理由是這類照片可能損及國內的士氣，事實上這些照片刊出之後，美國人的敵愾之情反而更加堅決了。

除開檢查，生活雜誌攝影記者在亞洲戰場的採訪還受到了各種其他困擾。這一戰場的戰事，多是航空母艦飛機作出的遠程戰鬥，因而參與實地拍攝的可能性極其有限。此外，有的戰場又正處於不便採訪的遙遠區域。例如生活雜誌在1944年，便曾派伯納·霍夫曼乘搭一架飛機前赴緬甸，尋訪一支正與中國駐印遠征軍並肩作戰，企圖將日軍逐出緬北叢林、重開中緬通道的美軍小型部隊，亦即梅里爾將軍麾下那支眾所共知的"梅里爾剽掠隊"。霍夫曼用降落傘降落叢林，結果竟掉進了遠距前線10哩的日軍後方；他只好埋起一應裝備，徒步逃走——很快便給兩名"剽掠隊"自己人抓住了，因為他們根本不能想像攝影記者怎麼會跑到這裏來的。霍夫曼這下才得隨伴梅里爾部隊戰鬥前進，直到將密芝那城南機場拿下（見第103頁）。

太平洋戰場上最傑出的攝影記者大概得數尤金·史密斯，他的戰地傳記談起來就直像道地的戰事記錄。史密斯前後參加了13次太平洋戰役，以及23次自母艦起飛炸敵的行動。美軍登陸菲律賓雷伊泰島後，將一座西班牙人所建教堂改為野戰醫院，那幅在教堂裏躺着一名傷兵的引人注目的照片（見第96～97頁）便是史密斯拍攝的。

硫磺島是使美軍陣亡達6,800名、負傷更達18,000名的慘烈戰場，史密斯在該島亦拍下了像100及101頁所載的那些照片。兩個月後，他又接下了他最艱險的（也是最後的）戰地任務，隨同美軍第七步兵師登陸冲繩島。他打算在該處拍攝一名火線上士兵的整整24小時生活。出發前他給生活雜誌寫信說道："如果我這次死去，仍盼能夠在死前把這一系列照片基本拍完……比一切其他意義都更重要的是：這才是真實的戰爭故事。"這一"火線24小時"故事順利拍到了第23小時又45分；只剩15分鐘，只差最後一張照片待拍了——他打算把他所選的那名士兵，來自新墨西哥州阿布奎基市的一等兵泰利·牟爾在彈雨下翻越山脊前進的雄姿拍下來。他必須起立拍攝這一鏡頭，因此，他雖估計過所在距離的安全，卻仍不幸在炮彈破片的飛炸中受到重傷，不得不即時飛運關島從事特別治療，以致最後被送回國。

棕櫚掩映的勝境檀香山突然陷入浩刼——日本空軍在1941年12月7日狂炸珍珠港，使美國從此捲入大戰。圖為驅逐艦"蕭號"火藥庫中彈起火，迸噴成巨大火球的情景。"蕭號"其後經打撈並拖回美國修復，終得再度編入海軍作戰。

美國太平洋艦隊旗艦"賓夕法尼亞號"受襲時正在珍珠港旱塢之中，竟僅以輕微損傷獲免，不似圖前驅逐艦"佳興"（右）及"道恩茲"之大毀。

一艘艦載汽艇急駛向正在珍珠港中焚燒下沉的戰艦"西維吉尼亞號"，往救刼後的孑遺。1941年12月7日是星期日，美國海軍艦隻碇泊港內者多達94艘，形成了日機突擊的最理想目標。

1944年4月29日，一架日本魚雷機在加羅林羣島中部士魯克羣島外緊貼海面而飛，衝過美軍防空防火網，逕自朝美軍母艦"約克郡號"撲來。

1944年10月雷伊泰灣之戰中，一艘日本巡洋艦為美國俯衝轟炸機直接命中冒起濃烟。圖前白線乃是即將把這艘癱瘓日艦徹底消滅的魚雷

這裏是一架日本魚雷機，在1943年12月向馬紹爾羣島外一艘美國航空母艦進襲的連續鏡頭。日機先是衝向母艦甲板，遭遇到艦上曳光彈的炮火（上圖）；接着日機在掉頭飛開時中彈（下圖），化爲火流（下右圖），掠過母艦衝落大海。

1945年5月11日，美航空母艦"蓬克山號"在沖繩島外爲日機炸中飛行甲板，引起地獄般的熊熊烈火。這場大火在鄰近的一艘巡洋艦與三艘驅逐艦的馳援灌救下，經八小時始被撲滅。396人在這次大火中喪生，傷者亦達264人之衆。

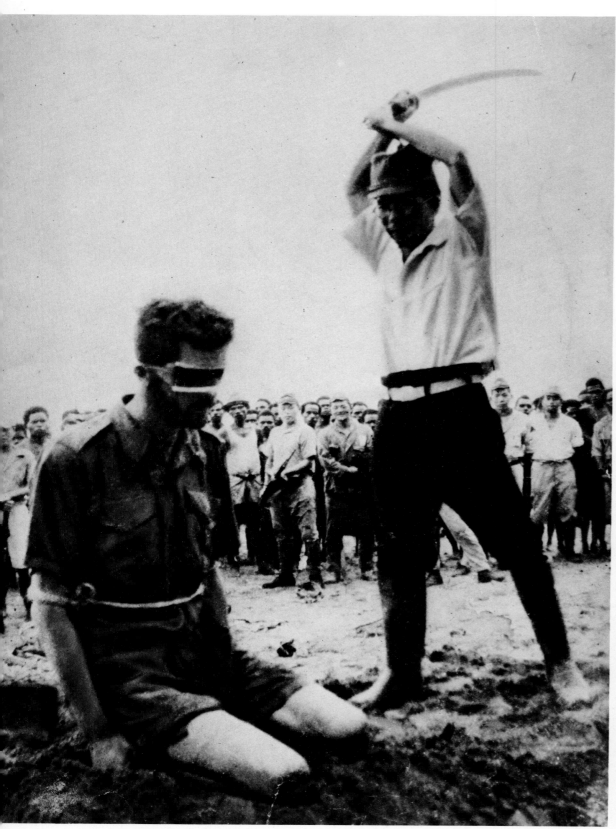

一名澳洲飛行員在新幾內亞擊落被俘，為日軍
斬首示眾的鏡頭。本圖為一名日兵所攝，其後
落入美軍手中，1945年5月由生活雜誌發表，
成了終戰前那幾月激鬥中強有力的宣傳武器。

1944年2月17日美軍進擊恩尼威托克環礁的恩
格比島，不及六小時即將該島攻佔。圖示一名
為美軍火焰噴射器所斃的日兵屍體猶在冒烟。

一輛被焚毀的日軍戰車上，連凸出車外的日兵頭顱亦都燒成焦炭，說明了1942－43年間在瓜達康納爾島上進行的叢林戰與海灘戰之慘烈。

雷伊泰島一間教堂具有既是聖堂又是醫院的雙重作用：帆布床上躺着一名灼成重傷的美兵，神壇前却仍有正在祈禱的菲國婦女。1944年菲島光復之戰中，許多教堂都改成野戰醫院了。

曾在日軍攻勢下被迫撤離菲律賓的道格拉斯·麥克阿瑟將軍（右起第二人），終在兩年七個月又九日後的1944年10月20日，率領着軍威復振的盟軍部隊捲土重來，在雷伊泰島涉水登陸。

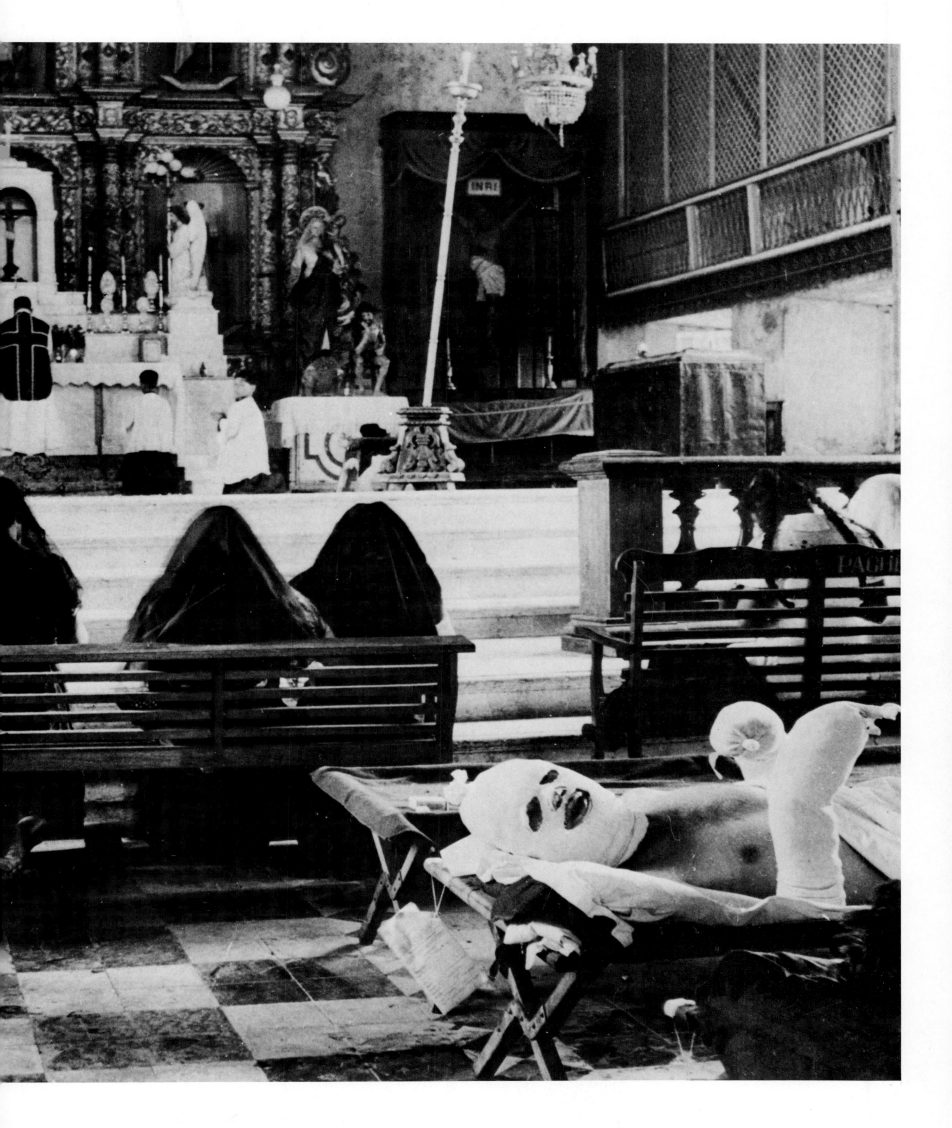

1943年1月美日兩軍在新畿內亞布納地區激戰後仆倒"蛆蟲海灘"上的陣亡美兵圖景。美軍檢查當局唯恐打擊國內士氣，對報導美軍戰死的圖片曾加禁制，八閱月後始准生活雜誌發表。

1944年2月盟軍開始反攻馬紹爾羣島，圖為盟軍攻克瓜加林島後橫陳戰地的陣亡日兵屍體。

匿伏在新幾內亞布納海灘美軍登陸小艇艙內從
事襲擊的少數日兵，經過肉搏戰後終被格斃。
圖爲美軍一名老練戰士正在檢視日兵的屍體。

"斷枝，碎石，客星的人骨……硫磺島上的一次爆破"，這是攝影記者尤金·史密斯，對美軍爆破隊正炸擊 382 號山頭、企圖逐出頑抗日軍的這張照片，所潦草寫成的圖片標題。1945 年 2 月 19 日美軍陸戰隊登陸硫磺島，但到一個多月之後，仍然未能將殘餘日軍的抵抗全部肅清。

一架B-29超級空中堡壘，1945年3月完成對東京的一次空襲後，精疲力竭地飛到硫磺島緊急降落，癱在硫磺島機場上的鏡頭。這架飛機經過修理即再飛回塞班島，塞班正是美國轟炸機在太平洋戰爭最後一年內出擊日本首都的主要基地。圖中剛在降落的那架B-24，續航距離較短，實際上乃是一架貨機，不過若干以硫磺島為基地的B-24，確仍曾負起轟炸日本的任務。

1944年5月17日入緬美軍"梅里爾剽掠隊"攻克密芝那機場，六日後日軍反攻不逞，留下了這一燹後機場的景色——跑道附近猶有日兵的伏屍，一架C-47尚在焚燒，另一架又在起飛了。

本屬喧闐闇市的廣島，在1945年8月6日第一顆原子彈轟炸後，立刻變成大地上一塊寸草不生的圖案──美國B-29轟炸機"艾羅拉·格號"投下的這顆原子彈就在市中心（本圖上方）上空爆炸，使整45平方英哩市區通通化作了敗瓦殘磚。本圖是爆炸不久後由美機在上空所攝的。

1945年8月9日投向長崎的原子彈菌狀雲，正是亞洲戰場戰事的結束標誌──這顆炸彈炸死了40,000人；三日前投落廣島的第一顆更炸死了80,000人；8月15日日本便無件條投降了。

大後方

生活雜誌在第二次世界大戰報導之中，對雜誌稱爲"大後方"這一部份盟國圖片的刊佈，有一種值得同情的畸重現象：美國的工業戰線這時已迅速轉化爲軍需生產（見第114～115頁），因此雜誌對美國國內情況的報導也特別多。其實，和美國這一遠離敵人鋒鏑的安全後方比較起來，其他盟國的後方才可說是眞正的"後方戰場"，那怕最偏遠地區也不能不在敵人的轟炸威脅之下。最顯著的例子即是莫斯科──德軍進侵蘇聯時，馬嘉烈‧波克－懷德正在該地；她幾乎還沒從行囊裏拿出相機，德機的首次空襲便臨頭了。她記述說："我正面對着畢生難遇的獨家新聞，這一地區只有我這麼一個攝影記者。"然而攝影卻正是蘇聯當局嚴厲禁止的。

不過她還是用盡一切辦法獵影；最初憑藉的是視爲"外國領土"的美國大使館的天台，後來則只能在居停旅館的陽台上偷偷拍攝。第116～117頁那張照片便是她在大使館內攝得的，就在拍攝這張照片之前，她自己幾乎便死在空襲之下──她事後追憶道："我說不出那天晚上究竟是甚麼在提醒我炸彈正衝頭而下，不是聲音，不是亮光，僅是一種空氣凝縮的感覺促我必須快跑。在彷彿幾分鐘而事實上僅不過幾秒的刹那間，我抓起相機，爬窗進屋，把相機小心放在地毯靠裏的一邊，自己也在毯旁躺下，接着它便來了──所有窗戶紛紛倒入屋中，使館辦公室的窗扇像暴雨般朝我瀉落；一具沉重的通風機從窗台向內直射，只要再掉近一點點我就躲不過了！稍後我才感到手指頭已給玻璃片割傷，我唯一想到的是恐怕還是去地下室好些；於是我就穿着露趾涼鞋，踏着滿梯破玻璃下樓，這段路眞是我一生中最難捱的！"

喬治‧羅紀爾曾於1944年從歐陸前線臨時回到倫敦，就在蘇荷區吃午飯時，碰上了德國長程控制無人飛機V–1飛彈的襲擊。他後來報導說："它只要再向右落50碼，我就準會炸得屍骨無存。幸好它沒這樣掉，我才仍可拿着相機，一面拍照，一面待在附近看有沒有人是我可以幫手的。"那次拍下的照片，便是119頁所載的那張傑作。此外英國一位良心反戰者漢斯‧衞爾德，同是獲准給生活雜誌拍攝倫敦報導的，也拍出了120～121頁那些描繪倫敦廢墟生活的圖片。英國全國性大報報社所在地的倫敦艦隊街某次遭受空襲時，衞爾德正在每日快報地下排字房內，看到了一條用特大字體排出的開玩笑的標題，正可作爲英國人那種雖處無比艱危，却仍能保持輕鬆的最佳精神寫照──這一標題的字眼是："官方消息──一切都完蛋了！"

1940年10月，加拿大英屬哥倫比亞新西敏寺市出征加軍行列中，父親向兒子伸出告別的手。

這是1944年紐約市賓夕法尼亞車站，即將乘搭火車出征的美國陸海軍士兵們，分別與自己的 妻子、愛人、母親、姊妹等女性親人吻別的鏡頭。別離在這裏絕非甚麼"如是溫馨的酸楚"。

在洛杉磯港即將搭船出發的當兵爸爸緊摟着兩歲大的兒子，兒子正在哭叫着"爸爸不要去！"

美國正式參戰後未及五月，全國兵工業生產效率即已升達高峯。圖爲1942年3月30日，一艘滿綴旗幟的1,500噸潛艇"柏托號"，正在威斯康辛州曼尼托瓦克向密西根湖側身入水的情景。

日本偷襲珍珠港一個月後的1942年1月，全屬志願投效珍珠港重建工作的平民船塢工人在紐約布魯克林海軍船塢接受歡送。他們執持着的"切記珍珠港"標語正是强有力的戰鬥口號。

1941年秋，維吉尼亞州紐斯市新港正在建造的
戰艦"印第安納號"已近完成階段，搭在艦身兩
側的格狀棚架，特別襯托出該艦的吃水之深。

印第安納州格雷市一間鋼鐵廠裏一名女性觀測
員正用高溫計檢驗無蓋熔鐵爐中鋼水的溫度。
本圖攝於1943年夏，約 4,800 名女性這時正在
格雷市各工廠內接替了從軍男子遺下的工作。

113

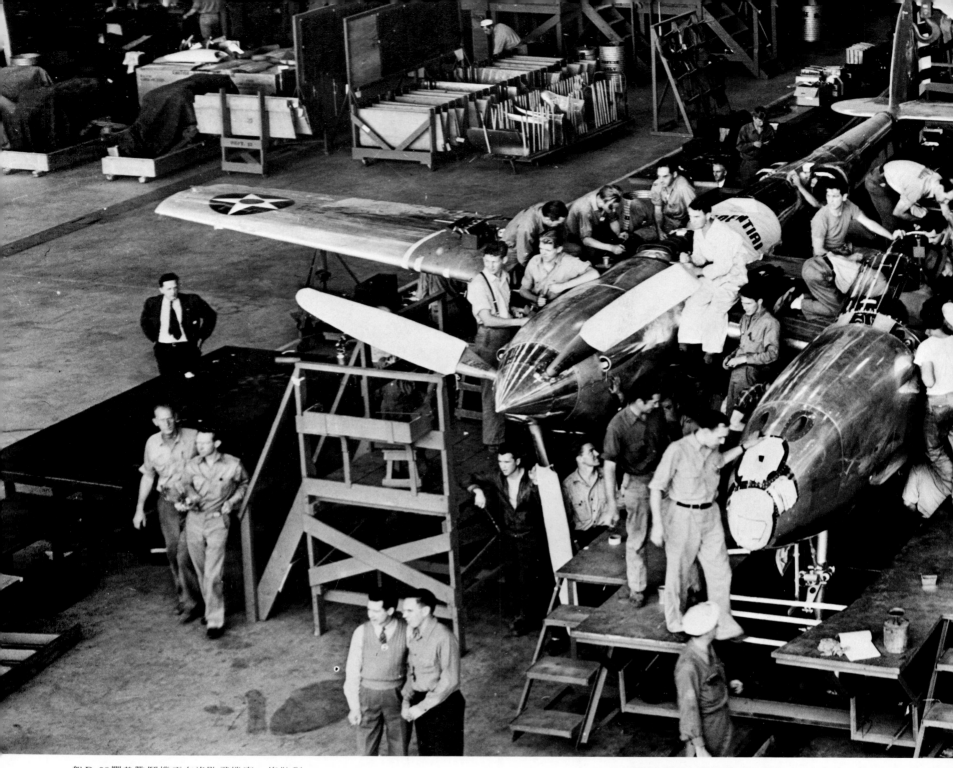

一架P-38攔截戰鬥機正在洛歇飛機廠一條裝配
線上接受最後工序的處理。本圖攝於1941年夏
天，像如此精巧複雜的P-38機，當時在這條裝
配線上的生產速度，也只不過每天一架而已。

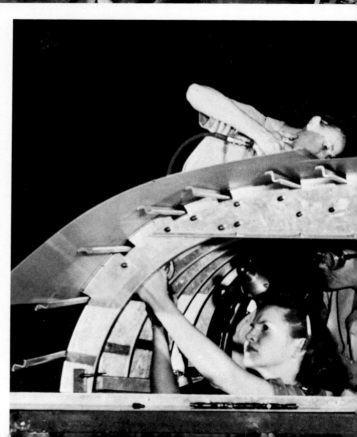

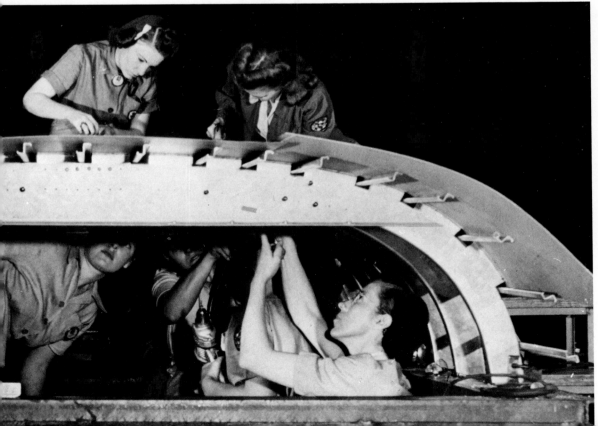

1942年10月德克薩斯州渥茲堡一間飛機廠內，
女工們正在一架未完工運輸機機身內外施工情
景。從事兵工的女工素有"鉚釘玫瑰"的雅號。

1941年7月23日晚，德機夜襲莫斯科，將戰爭帶進蘇聯心臟地帶——整座燈火管制下的漆黑城市驀地大放光明，搜索敵機的蘇聯探照燈，德機所投繫有降落傘的照明彈，加上蘇方高射炮火在夜空劃出的交叉火網的亮光，照耀出了一幅黑黝黝的克里姆林宮輪廓畫（本圖中部）。

拯救員正用擔架從倫敦一座為德國 V-1 飛彈擊
中的建築物中抬出一名婦女。本圖攝於1944年
7 月。 V-1 飛彈所載彈頭重達一噸，最大射程
為150哩（240公里）；唯一的對付辦法便是把它
打下來──它的飛行速度僅為每小時400哩，因
此高速的戰鬥機與高射炮都有可能把它擊落。

倫敦廢墟中的人仍然在活下去：就在聖保羅大
教堂（本圖後方）附近，給炸彈夷爲平地的一塊
土地便臨時改成菜圃了。本圖攝於1943年夏。

（右圖）倫敦阿爾德門區的青年們，正站在一個
簡陋的臨時小舞台上演出一齣輕鬆音樂喜劇，
並立高唱着"歲月如流"。本圖攝於1943年秋。

在13世紀建成的漆爾舍教堂遺址前，一羣英國
聽衆正聚集着欣賞樂隊演奏；演奏場地本是地
下室，現已炸成露天的了。本圖攝於1943年。

聖保羅大教堂在1940年12月29日晚那場倫敦大
轟炸的火海中依舊巍然矗立，象徵了英國那股
不屈的精神。該晚空襲時間長達三小時，德機
投向倫敦的炸彈僅燃燒彈即達10,000枚之多。

邱吉爾首相正在空襲翌晨視察下議院的燹後廢
墟。1941年5月11日晚的那次大轟炸，同時摧
毀了英國馳名的大笨鐘鐘樓與西敏寺修道院。

戰禍受難者

戰地攝影記者對於死傷破壞的報導雖很快就習以爲常，但在面對老弱婦孺無辜受難慘象時仍是會深感忧目驚心的。羅拔‧卡帕在盟軍攻佔那不勒斯後，曾就本書第130～131頁他所拍攝的景象記述道："我住的旅館門前那條狹窄街道上，擠塞着長列肅穆無聲的人，輪候進入一間校舍。我也跟着進去，嗅到的是鮮花與死人摻和發出的一股芬芳慘惻氣息。屋裏擺着20具簡陋的棺木。"卡帕接着說："死者年紀都不太大，盛殮他們的童棺雖嫌稍窄，也勉強合用了。"

尤金‧史密斯在塞班島上，拍攝了那些從巖穴中爬出來的半死不活的日本平民（見第128～129頁）；他的記述是："照片上拍的就是我的親人——就是我的親人在另一民族的痛苦扭曲面孔上的映像。苦難的出生，苦難的國土——我把那個流血瀕死的孩子抱了一會，他的鮮血滲透了我的襯衫也灼傷了我的心——他就是我的孩子！我的相機開關的每一下咯嚓都是一次大聲的譴責，在斥罵中仍希望這些照片可以不斷流傳，以求最後喚起未來人心的回應。"

希望以及人道精神交織而成的這一共通目標，在日本同樣獲得了松重美人的體驗印證——1945年原子彈轟炸廣島後僅幾分鐘的那些劫後哀黎照片便是松重拍下的。松重對那一上午的記憶一直非常清楚。那時他正在距原子彈爆炸點約莫一哩的家中，吃完早餐，剛想燃起一支香烟："我忽然感到一陣劇痛穿透全身，宛如萬針齊刺，房裏一下子閃起一片眩目的青白色强光，就像好幾百克攝影閃光劑同時點燃一樣。我想：'哦，是閃電——大概這兒有條短程電路吧。'我剛跨了一步，打算去關掉廚房的電門，一股不可見的重壓便把我罩住了——緊接着整座房屋就像地震般搖撼起來，我覺得自己彷彿突然離地三尺，懸浮空際了！"

松重跟着便抓起相機出去拍照。他想去市中心區，但爲大火所阻，所以只在他家附近的御幸橋一帶集中拍攝。廣島全市乍看似乎已成廢墟，不過劫後餘生的人很快便出現了。松重回憶說：就在拍照之時，他的眼淚便已把反光鏡濡濕成了模糊一片。

此外，還有德國設在巴伐利亞以及奧國和波蘭的集中營情景。當盟軍逐步推進以致終於發現它們時，生活雜誌戰地記者記述說，正在這片可怖景象中躑躅前行的盟軍士兵，簡直就不敢相信自己的雙眼。他們曾聽過若干其後證明爲純屬僞造的第一次世界大戰時期的"暴行"，因而這片眞在他們目前出現的殘虐景況，根本就像是特爲宣傳需要而刻意佈置出來的。貝爾森集中營設於今日西德的東北部；喬治‧羅紀爾正是最初抵達該營的一名攝影記者。直到今天，他仍不肯再去提及他當時攝下的那一鏡頭——一名小男孩正在一排瘦骨嶙峋的屍堆之側踏步而過（見第138～139頁）。事實上，羅紀爾在拍下貝爾森景象之後，便發誓永不再參與任何戰爭攝影工作了。

1939-40年冬，蘇聯進侵芬蘭，蘇機大炸芬蘭灣畔的塔米薩瑞市。圖爲擠躺在郊外雪地上躲避空襲的一堆婦孺——姐姐緊摟着小妹妹，正睜大雙眼凝視着向自己家園投下的蘇聯炸彈。

1940年春，由一名獨足少年領頭的一列難民，正沿着比利時郊區道路逃向後方，剛好與另一列全副武裝開赴戰場的英國步兵隊擦肩而過。

1944年夏美軍進攻塞班時從巖穴中逐出的一對母子。塞班日本居民約有25,000名；因爲謠傳美軍要屠殺俘虜，許多都在島北跳巖自殺了。

塞班島的攻防拉鋸戰，使匿伏一個巖穴內的好幾百日本平民全部窒息而死，這是其中唯一尙餘一息的小孩，終爲美軍發現並救活過來的。

1943年秋，意境德軍在那不勒斯市區與游擊隊交火，一間學校的二十名年僅14至20的學童因之無辜送命。圖為喪生者在原就讀學校內經親友舉行告別式後，棺木抬出校門就葬的鏡頭。

參加葬禮(左圖)的母親們——一個自己的手上便綁有綳帶，另一個還緊握着兒子的照片——眼看着兒子棺木抬往墓地，個個都泣不成聲。

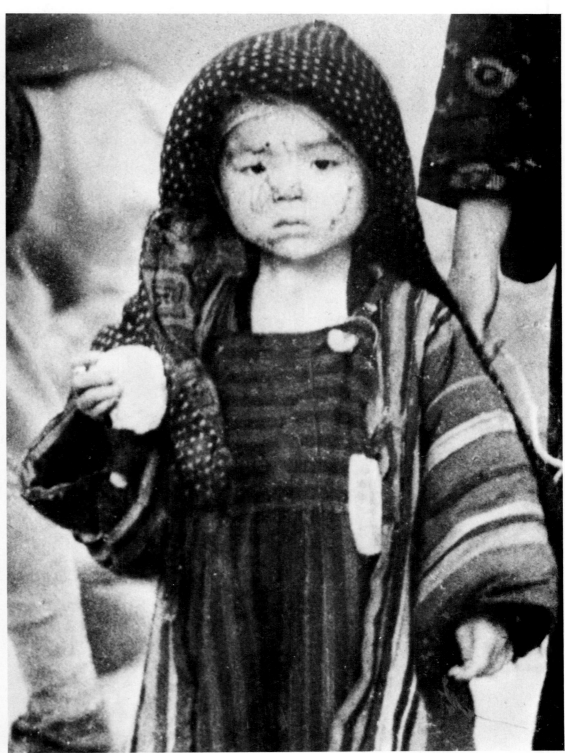

圖為1945年8月9日長崎為原子彈所炸後，已給四散飛舞的玻璃片割成滿臉皆傷的日本男孩子，仍緊握着他的飯團。該次爆炸中身死者達40,000名，受傷及失踪者更在60,000名以上。

1945年8月6日原子彈爆炸後不久，茫然鵠立廣島頹垣敗舍間的居民景象。由身歷此一轟炸的倖存者松重美人所攝的本圖及其他圖片，在美軍佔領期間迄被檢扣，至1952年始獲發表。

長崎被炸後的上午，一名受難者正喝着第一口
水，等待醫療隊的到來——醫生抵達前她即已
不支死去。圖中他人也都終於未獲救治而死。

廣島一名警察正在登記劫後餘生者的名字，他
自己頭上也胡亂綁着繃帶。本圖爲攝影家松重
美人所攝，因佔領軍的七載檢扣而有所損壞。

1941年9月16日上午7時10分，在莫斯科西面
150哩處的一座村莊維雅茲瑪，因村中旅館駐
有蘇軍參謀人員而爲一架德機所襲。圖爲家毀
人亡的年邁母親和她僅存的兒子正坐在破屋外
面，驚魂未定，根本聽不見看護兵員的撫慰。

1945年秋，從蘇聯佔領下的東歐地區逃出或被
逐出的德國難民，平均每日達17,000名；這些
難民如有親屬住在西部的，尚可獲西方盟國當
局批准進入英美佔區，其餘的便只好在人口早
已過多而且正鬧糧荒的柏林市內流浪度日。本
圖即是擠塞在柏林大會堂內的德國難民羣相。

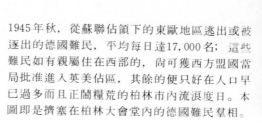

德國那座惡名昭彰的貝爾森集中營營外道旁滿佈屍體。一名幼小倖存者大概由於飽經折磨，對恐怖景象簡直已能無動於中，因而在屍畔走過時竟連望都不望一下。本圖攝於1945年春。

1945年4月13日，盟軍進迫柏林，納粹殘餘縱火焚燒柏林附近加德勒根監獄內一座關滿政治犯的貨倉，被焚斃的人犯約達500至1,000名之眾。圖為一名企圖由木壁下扒土擠出而終未成功的政治犯，就這樣夾在下面給活活燒死了。

盟軍部隊於1945年4月進抵魏瑪附近的布亨瓦爾德，納粹集中營的倖存者由此獲得自由——

這羣浩劫餘生囚徒業被折磨成儼如走肉行屍，連對他們的解放者也全只會張大眼睛呆望了。

淪陷與光復

第二次世界大戰中爲德日軍隊所佔的地區，甫一陷落不久即會在佔領軍當局的嚴格控制下化爲密不透風之場。不過生活雜誌却仍有辦法刊出許多有關這些地區的精采圖片。圖片來源是多方面的：有的是可能剛好造成反效果的敵方宣傳資料，有的是有頭腦的被難者設法偷運出去的珍貴記錄，有的則來自中立國家人士。這些圖片中，有在德軍佔領下的基輔市民那種滿臉惶懼的神情（見第147頁），也有那張廣傳遐邇的，法國馬賽愛國者的熱淚盈眶的照片（見第146頁）。

馬賽這張法國人圖片也曾引起一些爭論：有人說那是在巴黎而非馬賽拍攝的，照片中那位仁兄之所以傷心落淚也並非痛心法國的敗亡，只不過是害怕他個人的生意會爲德軍佔領所毀而已。不過根據後來調查所得，這些說明全部毫無佐證，因此這張圖片仍不失爲一個表現亡國之悲的活生生圖相。

對盟國來說，1944年的諾曼第登陸是漫長黑暗時期的終結。五日之後，盟軍已向內陸挺進，生活雜誌攝影記者法蘭克‧謝爾西在適處灘頭陣地之後的諾曼第小鎭伊舍尼理完髮後步出理髮店，立刻見到鎭中廣場排立着一隊手持鮮花的女孩，正恭候戴高樂將軍駕到——戴高樂是流亡國外的戰鬥法國的領袖，預定這天回國的。這一象徵光復歡欣的鏡頭當下便被謝爾西拍下了（見第148～149頁）。

不過，光復也有它的陰暗面。法國人對德國佔領軍的咬牙切齒之情，可能表現得太狂熱了，以致他們的報復行徑竟演變成了要向曾對德軍過份友善的鄰居去橫施侮辱，乃至向涉嫌賣國的人乾脆當街飽以老拳之類（第151頁）。

最壯觀的重光場面當然仍是在歐洲那些名都大邑出現的，散處各地的生活雜誌攝影記者之會兼程趕往自屬不在話下。喬治‧施里克最夠運，他就在羅馬，因而輕易拍下了意大利人如潮湧入羅馬廣場的鏡頭（見第152頁）。雜誌的另五名攝影記者則奔赴巴黎，趕去報導這一"光明之都"在1944年8月23日的重光情景。五名裏面當然少不了羅拔‧卡帕，他那段喜誌故國重歸的祝詞，正便是對這一可能最黯淡的歐洲史之恰切後記。這段文字是：

"巴黎的光復是舉世最難忘懷的偉大日子。那天早上連太陽都在急急忙忙地上昇，我們大家更忽忙到連洗漱都一應全免。通往巴黎的大道開放了，每個巴黎人都湧上街來，撫摩盟軍的第一輛戰車，親吻盟軍的第一名兵士，又唱又哭，又叫又笑。從沒這麼多人這麼早起身而且這麼歡快的！我特別感到這一入城式簡直就是爲我而設——乘坐在曾經收容我的美國人所造的戰車上，隨伴着曾與我在多年前即對法西斯主義並肩作戰的西班牙共和軍人員，我又回到了巴黎，回到這座生我育我、使我最初懂得吃喝戀愛的美麗城市來了！"

1941年7月，德軍攻佔西距蘇波邊界達100哩（160公里）的蘇聯平斯克地區，將鹵獲的蘇軍戰車擺置在近郊一座村莊列寧像兩側的情景。

1941年春，侵攻希臘的德國大軍，在泥濘道路上仍保持着快速推進。圖為德軍卡車隊正讓路給友軍機械化兵團使能迅速趕赴前線的情景。

法國為閃電戰所敗而向德國投降後的第三日，1940年 6 月24日，希特勒帶領着親近僚屬巡視巴黎，在艾飛爾鐵塔下拍照留念，祝捷慶功。

1941年 9 月26日德軍攻佔蘇聯重鎮基輔，圖爲
基輔居民在封鎖的街道前對德兵不安地凝視。

法國北部早已淪入德軍之手後的1941年 2 月，
法方將法軍軍團旗通通運赴阿爾及利亞收藏，
一名法人在旗列進行過馬賽時不禁愴然涕下。

1944年 6 月14日，法國西北部小鎮伊舍尼獲得
重光後，正待迎迓戴高樂將軍的鎮上小女孩。

1944年6月，諾曼第小鎮的一名鎮民（戴帽者）
正向光復該鎮的美軍誇說他也殺了一名德兵。

1944年夏天法國從德軍佔領下光復後，法人的長期屈辱竟一下爆發成了對被斥爲賣國賊的同胞之折辱報復。本圖即是夏特瑞城的一名法國"女奸"給剃光了頭，抱着她和德兵所生的孩子在街上遊行示衆，飽受市民侮罵訕笑的鏡頭。

法國勒恩市在1944年光復後，一名被斥爲賣國賊的法國人被愛國之士當街痛毆，跪地乞免。

151

1944 年 6 月 4 日德軍放棄羅馬。意大利人民如
潮湧入維多・伊曼紐二世紀念館前廣場祝捷。

1944 年 8 月 26 日，剛獲重光的巴黎市民麕集在
香麗榭大道街邊及沿街樓宇陽台，熱烈歡迎由
自由法國軍隊與地下抵抗戰士組成的勝利遊行
隊伍，戴高樂將軍正走在隊伍前列舉手致意。

154

美軍在自由法軍凱旋巴黎入城式(前頁)三日後
——1944 年 8 月 29 日——相繼入城，列隊操過

香麗榭大道；軍樂隊奏起了由"狄克西""馬賽
曲"等形形色色盟國歌曲滙集成的雄壯集奏曲。

在韓國的 "警察行動"

1950年 6 月25日星期日，東京恰值久雨初晴，但這片佳辰欣悅很快便給西方 800 哩處的韓國傳來的警耗完全打破了：北韓業已揮軍南進，新的戰爭爆發了。後來聯合國僅稱它爲一次"警察行動"，然而不論從任何方面看來，它都實在就是一場殘酷的戰爭，而且它的爆發也正在第二次世界大戰剛結束不久之時，對舉世人心自更形成了一片令人不寒而慄的震撼。

這一 6 月的星期日，標示的是戰後美蘇兩國那種不安定合作關係之結束。本來，遠自1945年 2 月雅爾達會議開始，蘇聯史達林總理與美國羅斯福總統二人，對於淪爲日本殖民地達35年而現在即將獨立的韓國究應如何處理，就已經未能達成任何正式協議；及至稍後在該年 7 月召開的波茨坦會議中，與會各國領袖總算同意了簽署一項宣言，承諾韓國獨立，並在獨立後初步交由美英中蘇四強託管，而蘇聯也同意了對日本宣戰——8 月 8 日，即原子彈業已轟炸廣島後二日，蘇聯眞的對日宣戰了；8 月14日，日本業已宣佈投降，而自海參崴南攻甫得越過韓國北部邊界的蘇軍，這時却不理日本的投降宣告，仍繼續以全速南下。待到 9 月 2 日，日本政府代表團在東京灣美國戰艦"米蘇里號"上正式簽署降書，其中一條即是：北緯38度線以北日軍應向蘇軍投降，而北緯38度線以南日軍則應歸由美軍繳械；美國將領隨即於 9 月 9 日在漢城接受日軍投降，這樣一來，韓國的一分爲二，分別置諸以蘇聯爲首的共產勢力與以美國爲代表的非共勢力之下，即已成爲一項旣成事實了。

此後，南韓地區的各政黨遂如雨後春筍般紛紛出頭，每一政黨都以爭取韓國獨立自治爲號召；經過近兩年鈎心鬥角的政治紛擾之後，一個以日本佔領期間流亡美國的韓國領袖李承晚爲首的南韓臨時政府終告成立；最後，經過了1948年在聯合國監視核准下的選舉，李承晚榮獲正式選任爲大韓民國的首任總統。

38度線以北地區的局勢，則在極權體制下一直發展得非常順利。蘇軍入韓時帶來了一羣訓練有素的朝鮮共產黨幹部，由這羣幹部所控制的北韓軍，很快即在蘇軍支持下取得權力，建立起一個名爲"朝鮮民主主義人民共和國"的共產政權，以在第二次世界大戰期間逃亡蘇聯的朝共頭子金日成爲首。然後，到了1948年10月12日，蘇聯更對這一共產政權加以全面承認，謂爲全韓的唯一合法政府，予世人以一種風雨欲來的惡兆。兩個月後，聯合國大會即在蘇聯棄權之下，針鋒相對地另行通過一個議案，宣稱只有南方的那個大韓民國政府，始是全韓的唯一合法政府。

1950年6月，北韓部隊越過北緯38度線南下時，南韓處境是極其不利的。南韓政府驟臨突襲，固已搞得手足無措，但更糟的是它那支僅有98,000人的軍隊就在裝備上也只不外一些小型武器與小口徑的火炮；它的强大盟邦美國的部隊，這時業已全部撤離，留駐者僅屬一個500人組成的訓練單位而已。相反地，北韓共軍用於攻擊的第一線部隊即達135,000人，而且都是蘇聯中共所一手訓練，擁有蘇式良好配備的。

聯合國安全理事會在緊急集會後，一面譴責北韓"破壞和平，肆行侵略"，一面另召全體會員國共起致力韓國和平的重建——這一議案的提出，恰值蘇聯抗議聯大未接納中共入會而正在拒不出席大會的那一週，因而出人意表地竟未遭否決而獲勝利通過。不過，聯合國各會員國在美國領頭之下，雖說已有了16個國家應承派軍前往南韓，韓境戰局也似是無望的了——南韓首都漢城在聯合國上述決議通過兩日後即告陷落，南韓軍業已大部崩潰；待到麥克阿瑟將軍統率的以美軍爲主的聯合國軍，於7月4日登陸釜山時，原駐南韓的那500名美軍訓練團及南韓軍殘餘亦逼退到了這塊偏促的灘頭，眼看卽有被逐入海之險了。所幸的是，在麥克阿瑟將軍其後一次側擊之下，這一情勢才總算扭轉過來：1950年9月15日，麥帥向遠在釜山前線西北百哩外的仁川港發動了一項兩棲攻勢，韓共大軍的後路遂給完全截斷。

韓戰在仁川登陸戰後，局勢發展對聯合國軍一度非常順利，聯合國軍在10月26日卽已進抵鴨綠江，到達了毗鄰中國東北的邊境。聯合國認爲勝利在望，業已組成了一個韓國統一重建委員會——然而這一決議却一直未能執行，因爲在11月，足足30個師的中共大軍卽從中國東北蠭湧南下參加韓戰，已入北韓的聯合國軍不得不節節後退。1952年杪韓戰最高潮時，在韓作戰的中共軍幾達120萬人；漢城曾再度失陷，麥克阿瑟將軍麾下部隊亦曾被迫向釜山再度退却。幸好中共軍在多達900,000名的大量傷亡挫折之後，攻勢終於告阻，聯合國軍這才得以再度反攻，重新推進回到北緯38度線。

1951年6月，韓戰開始進入膠着狀態。零星的戰事一直維持到了1953年6月始算全面停歇，交戰雙方在這時所據領土面積幾與戰事爆發前全等的情況下終於簽訂了停火協定——如此這般，這一毫無結果的"警察行動"，不僅造成了150萬名軍民的喪生，同時也給美國開創了一個堵塞共產勢力擴張的先例，一個使美國在十年後不能不長期陷入越戰泥淖的"有限戰爭"政策。

就生活雜誌而言，韓戰報導在若干方面都正是一項熟悉的——雖說同屬嚴酷可怖的——工作。雜誌的戰地記者老手卡爾·米丹斯及曾在太平洋戰爭中出任美海軍陸戰隊隨軍記者的大衞·道格拉斯·鄧肯等人，簡直便覺得他們業已回到了第二次世界大戰；因爲韓國這場戰爭也適如第二次世界大戰一般，乃是大量的步兵部隊，在飛機戰車支援之下，爲爭奪早有明確劃分的大片疆土而從事的戰鬥。

韓戰爆發時鄧肯碰巧就在附近地區——他正在東京爲生活雜誌撰寫一篇有關日本藝術的稿件；因此，三天之內，他便找到門路溜上戰場去了。北韓進犯南韓次週，鄧肯報導韓戰的第一批傑出圖片，便已在生活雜誌上刊出。

拍照的工作比把照片送回雜誌社要容易得多。爲使鄧肯的照片能在生活雜誌截稿時限前及時寄達，麥克阿瑟將軍特別借出了他的座駕機"巴丹號"來將這批底片飛送日本，並由駕駛員特別小心携帶着轉遞洛杉磯——然而，由於一名機場職員的過份熱心，這位駕駛員那隻裝有鄧肯所攝底片的皮包竟給匆匆拿走了！等到生活雜誌洛杉磯辦事處主任金·庫克，滿頭大汗地終於找回這批膠捲時，飛赴紐約的班機已快起飛，庫克只剩25分鐘時間去馳過那片通常必須行車40分鐘的、廣大的洛杉磯市區了。幸好庫克終得在班機起飛前幾秒鐘趕抵機場——所乘計程車連煞車襯套都已燒毀；司機在庫克付欵時譏誚言曰："我可眞得瞧瞧這一期究竟有甚麼玩意！"

鄧肯及生活雜誌派往探訪韓戰的其他戰地攝影記者們，在韓戰中工作之險直若舊夢重溫，正和他們對這一工作之熟悉一樣。鄧肯經常帶着相機參與空軍作戰；生活雜誌在中共參戰後刊出的那些最精彩的戰事圖片，通通是他拍攝的。鄧肯曾跟從自長津湖一口氣撤往日本海灘頭陣地的美海軍陸戰隊，在零度下的嚴寒及四處散在的中共伏擊之中，艱辛跋涉了整整80哩，得以錄下了這一棲慘的長程退却。

卡爾·米丹斯爲探訪美海軍陸戰隊入韓第一伏，逗留時間過長，陸戰隊急遽退却時他便幾乎落到了共軍後方。他在生活雜誌上記述這一遭遇說："共軍開始進攻時，我附近100呎內絕無美軍，徹底孤立；幸好有部美軍卡車恰好開過，司機先以急煞車讓我跳上，然後才全速衝過了敵人的炮火。"

馬嘉烈·波克-懷德也有一篇關於深入政府軍後方的共軍游擊隊的圖文報導（見第186、200～201及204～205各頁）——這一任務使她在所隨南韓軍中伏時也差點爲之丟掉性命。

生活雜誌在韓戰膠着後仍未中止報導；記者描繪出的正是前線軍人那股懊惱的情懷：明知既不會勝也不會敗，却一樣可以隨時送命。

慘烈的僵持之局

投身韓戰的生活雜誌攝影記者，和聯合國軍一般地都是事先毫無心理準備的；戰爭剛剛爆發的那幾小時內，他們只能手忙脚亂四處打探究竟出了甚麼事，出事之處究竟何在，還有最重要的是如何始可趕抵該處。第一個到達前線的生活雜誌攝影記者大衞·道格拉斯·鄧肯的經歷，即是此種情況的好例。

雖說鄧肯當時就在日本，却也花了整整三天，才算搭上了一架貨機飛降韓國中部——而且立刻置身迎頭來襲的敵機轟炸之下。此後他便在韓國與東京間不斷來回，致力初期戰局的採訪工作，特別着重步兵的情態。1950-51年間他拍下了整個戰爭中最具震撼力的景象——是即美海軍陸戰隊在從長津湖退向南韓海岸聯合國軍安全防線的長途中的苦況，全軍面對着鄧肯所謂的"令人癱瘓的恐怖"，既要對抗來襲共軍又要抵擋凜冽寒威的凌迫。

韓克·渥克是第二次世界大戰期間曾爲美海軍陸戰隊隨軍記者的生活雜誌攝影員，在麥克阿瑟將軍那一歷史性仁川登陸戰中他恰也躬逢其盛。然而由於他所乘登陸艇竟給一艘南韓炮艇糊裏糊塗地撞毀，幾乎使他完全失去了拍攝這一戰局轉捩場面的機會——他總算換搭上另一艘登陸艇，才得拍下本書第160-161頁的那些鏡頭。

卡爾·米丹斯也在仁川。米丹斯曾隨着聯合國軍從朝鮮半島的一端一直推進到另一端，是生活雜誌駐韓攝影記者中行踪廣遠無人可及的；他在沿途所攝的供應生活雜誌的照片，許多都是他人可能忽略的不凡之作——像本書166-167所載的那張，陸戰隊士兵胡亂披上迷彩斗蓬，活似班駁樹幹般縮作一團的景象，即是此類作品的一例。有個新聞記者曾讚揚他說："你簡直會用眼睛思想！"

其實米丹斯也一樣會用打字機來思想。他曾對一名正森森然兀立韓國雪地的土耳其軍醫有如次描繪："他指着漸就陰暗的地平線，回身朝我厲聲說了句：'歷史！'他滿懷激越，再也找不出更多的英文字來，只好向空揮拳，重叫一聲：'歷史！'然後便無言地凝視着那片蒼蒼暮靄。夜色逐漸淹過這一土耳其旅的駐地，我此後就再沒見過他了。然而他那張焦灼的面孔，他那個緊張疲憊的身軀，以及他提及的我們所處的歷史地位問題，在我回憶中却是永遠無法磨滅的。"

1951年2月，聯合國軍再度向北反攻，朝着北緯38度線艱苦推進而終於重抵漢城南部。本圖即當時身處韓國嚴寒之下的美軍，一個個都穿得臃腫不堪，正注視着朝向敵陣射去的炮彈。

海軍陸戰隊爬越海堤向仁川灘頭展開攻擊，在
清掃了僅有的機鎗抵抗後即開始向內陸推進。

1950年9月15日，一艘美國登陸艇載着共同注
視登岸地點的海軍陸戰隊官兵，正急速駛向業
在美國空軍轟炸與海軍炮擊下化為火海的仁川
海岸。仁川登陸截斷了南部共軍的後路，聯合
國軍自此開始追奔逐北，終於越過了38度線。

聯合國軍的戰士來自世界許多不同的角落——
除在北韓最初發動攻擊時首當其衝的南韓軍、
美軍及英軍之外，尚另有由12個國家所派出的
約25,000名官兵。左圖是1951年1月在南韓西
線作戰的一名土耳其兵正站在他的國旗之前。
下圖則是來自其他若干地區部隊的戰士羣相。

帶着菲烈德利加女王相片的希臘兵。

美軍中的波多黎各兵。

撫抱着步鎗的一名法國步兵。

戴着包頭長頭巾的紐西蘭兵。

戴着澳洲呢帽的澳洲兵。

隸屬英軍第27旅的蘇格蘭兵。

1951年秋朝鮮半島東部之戰中，乘搭直升機飛越山野降落敵後的美軍正在散開前進。美軍直升機在此一行動中所運的步兵前後約一千人。

1951年2月，美國海軍陸戰隊正在朝鮮半島中部前進，道旁除光禿樹木外還有些茅屋，但為趕出可能藏匿的狙擊兵，通通被引火焚燒了。

1950年12月美軍自長津湖撤退途中，一名陸戰
隊士兵正審視在共軍一次伏擊下遇難的袍澤。

1950－51年冬，聯合國軍被中共軍追擊時的那
股疲戰之情，在大衛・道格拉斯・鄧肯所攝這
張美海軍陸戰隊士兵照片上眞是躍然可見──
這名士兵，其時便正在長津湖附近艱苦抵拒。

1951年春朝鮮半島中部橫城附近諸戰役中，筋
疲力竭的陸戰隊士兵，在無情大雨下披着濕淋
淋的斗蓬，坐在機鎗子彈搬運車上設法休息。

1950年9月20日黎明時分，美軍愛德華·M·艾孟德將軍（本圖中掛望遠鏡者）正率同僚屬行立漢城附近漢江水畔，瞻望對岸北韓軍陣地情景。稍後不久，美軍即分頭渡江，克復漢城。

1950年11月，中共軍大舉開入北韓參加韓戰；
12月美軍即在中共軍攻擊下放棄長津湖，衝冒
嚴寒向南撤退。圖為美海軍陸戰隊一支部隊，
正在滿地冰雪的山間小徑上艱辛地魚貫南走。

1950年9月，美國陸戰隊官兵佇立漢城郊外第79號山頭，俯望北韓軍所佔漢城正被炸起火。陸戰隊隨即發動攻擊，將北韓軍自漢城逐出。

在撤出長津湖之戰中飽受韓境酷寒折磨與中共軍凌厲打擊的陸戰隊士兵，正向前茫然凝視。

1950年11月，越過北緯38度線北進的美軍，利
用倒折入溪中的大樹幹，在渡過冰封的溪流。

1951年5月，一名英兵因所乘戰車駛入佈雷區而遭受到輕傷。圖為該兵為同袍點烟的情景。

1950年12月，向北韓東部咸興撤退的美海軍陸
戰隊，正沿着冰雪載途的盤山道路蜿蜒而下。

1951年3月，美軍傘兵部隊在大邱機場輪次登機，準備空降漢城西北方，會合已在該地的裝甲部隊，同去截斷一支中共軍大部隊的後路。

1951年3月該次對中共軍的空降作戰中，一架飛機所載42名傘兵的最後一名，正在離機降向漢城郊外的稻田。左上角是另一架所載傘兵業已全部降落的C-119機，收回跳索準備回航。

1950年12月，暴露在中共軍攻擊下的聯合國軍逾100,000人終得安全撤出興南港。圖爲密集興南港區的美國陸軍與海軍陸戰隊大炮，正向城外山上敵軍復行開火以掩護友軍撤退的鏡頭。

1950年10月20日，美軍第187空降師所屬傘兵羣，在北韓軍陣地的後方平壤以北25哩（40公里）大舉降落；降落傘漫天而下，蔚為奇觀。

1950年夏，美國空母"佛傑谷號"一名歸艦機降落指示官，正注視着一架安全返防的轟炸機。

1950年夏，一架運載供應品前往南韓的美空軍C-54運輸機，在水原飛機場被來襲北韓空軍的機鎗掃射所中，着火焚燒時機尾上翹的鏡頭。

1950年9月，美海軍陸戰隊突入尚在北韓共軍手中的漢城。圖為陸戰連一名士兵正向左方的一所房屋開火，企圖逐出藏匿房內的狙擊手。

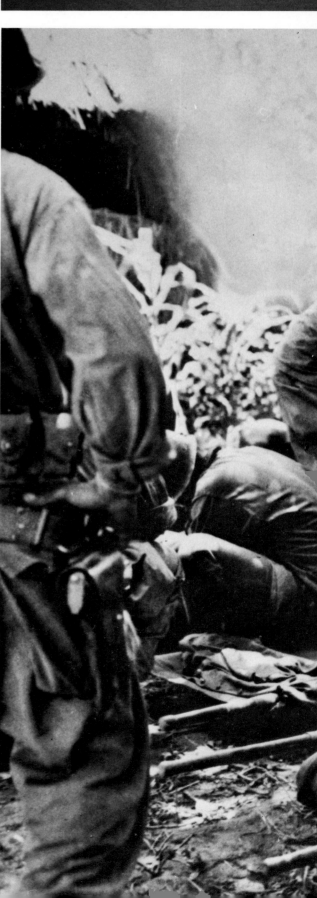

一名美國隨軍牧師正在前線救傷站中，為接受
輸血士兵祈禱——這尚是北韓最初發動攻擊，
把南韓軍與美軍狠狠趕向東南一隅時的景象。

1952年秋，韓國西南部鄉區常有警察在田間站崗，防範共軍遊擊隊對田裏工作農民的襲擊。

1952年6月，巨濟島戰俘營的北韓戰俘暴動，美軍飛運傘兵鎮壓，經激鬥後始將亂事平定。圖為事後一名正受審訊的戰俘辯稱他與暴動無關，說他臉上的火傷僅是炊事爐出事造成的。

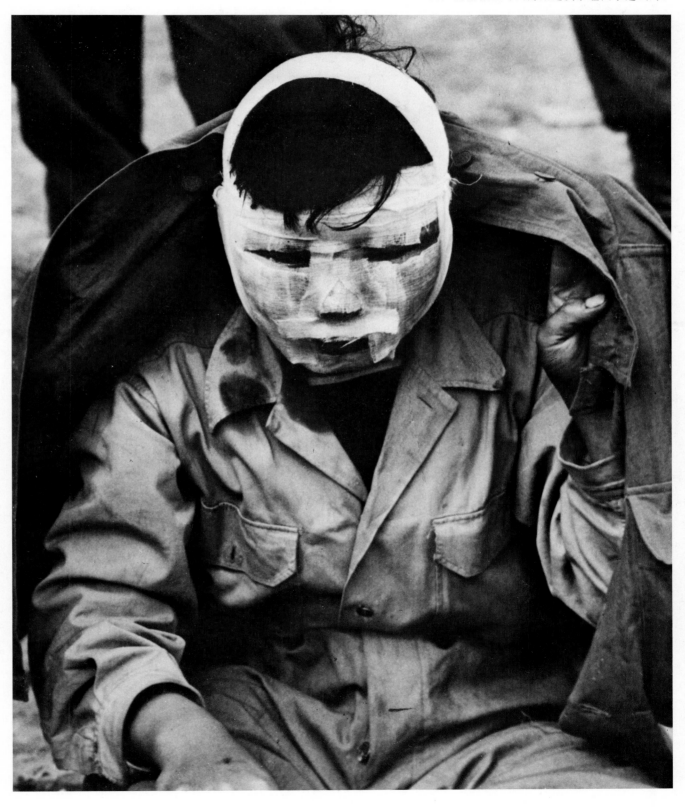

185

1950 年 9 月，戰事在洛東江一帶激烈進行時，
一名負傷陸戰隊士兵被送上吉普車，準備駛往
最近的救傷站，在車中受到同胞撫慰的情景。

1950 年 9 月，美海軍陸戰隊在洛東江附近野地
草叢中匍匐前進時，一名士兵驀地挺身而起，
向附近山坡上共軍所在處勇擲手榴彈的鏡頭。

1951年4月，北緯38度線以北可以俯瞰一座山谷的沙包陣地內，兩名美國兵正在敵人攻擊間歇時小事休息。一股中共軍前一晚即曾攻抵陣地前75呎(23公尺)，被擊斃15人後始行撤退。

繼麥克阿瑟將軍出任聯合國軍總司令的馬太·
B·李治威中將，在1951年 2 月聯合國軍反攻
時獨坐田間籌劃，不遠處山脚正在遭受炮轟。

1951年2月，聯合國軍向共軍展開反攻，復行
指向漢城。圖為美國第八軍第25師的士兵，正
在一片冰封高地上精神勃勃地昂然進軍情景。

1950年11月，小股中共軍在龜城以南地區為美
軍巡邏隊發現被俘後，正在接受美軍的命令。

1951年春，美國第八軍工兵部隊在一師美軍防
地前裝設了500哩（800公里）長的鐵絲網。韓戰
中使用鐵絲網之多，乃是第一次世界大戰以來
任何地方全未之前聞的。圖爲企圖鑽過聯合國
軍防線附近鐵絲網而被射殺的中共士兵屍體。

中共軍在1951年春季攻勢中爲聯合國軍所俘者
約達10,000名。到該年5月，中共軍被俘者已
逾140,000名。後來幾乎全部都選擇不回大陸。

北韓侵襲南韓初期，在水原南方烏山地區俘獲的美兵，正被押解着在漢城街上遊行，隊前橫幟上大書着對美國參加韓戰的譴責。本圖攝於1950年7月，三載後始由北韓當局准予發表。

1952年春，巨濟島共俘營中的戰俘被派從事修建防波堤工作。圖爲共俘列隊赴工，已在工地上者正將大石逐個傳往前端，填海成堤情景。

巨濟島第93戰俘收容所戰俘在1952年春幾已全部轉向反共，常作反共集會。圖爲輪候進餐的戰俘，人人頭上都纏有"誓死滅共"的白布條。

戰禍受難者

正如任何一個陷入戰火的地區，韓國那些受到戰禍波及的平民在反應上，也是從極端的震駭如狂直到極端的默然順受，各種輕重程度莫不具備的。馬可斯・德斯福在平壤即將爲中共軍所陷之際，所攝那張平壤市外業被轟炸所毁的大橋上那種大批難民蠕湧攀越的景相（見第 206 頁），以及大衞・道格拉斯・鄧肯拍下的那張淡然裹傷的農婦神情（見第 202 頁），即是戰禍下極端反應的佳例。除此而外，悲哀情景當然更是觸處可見的。

馬嘉烈・波克-懷德報導了南韓忠羅南道和順鎮附近一名殉職警察遺屬的悲哀。當地警察對九名共黨遊擊隊作過一次突襲，當場打死一名，逃脫八名，那位警官也在鎗戰中不幸遇難——剩下的便只是這位死難警官家中那些上了年紀的婦女們，惶然無措地爲死者嚎啕痛哭了（見第204～205頁）。

被難平民之中最足引人心痛如絞的，自仍得數那些最屬年幼的兒童。少數稚齡孤兒可能獲得美兵收養，成爲美軍部隊所奉的某種祥瑞象徵——他們常常會穿着卡嘰制服，戴上繞頭搖晃的美軍大鋼盔，在戰地內直來直往。但除此而外的絕大部份衣不蔽體的孤兒，則只能成羣結隊在國內四處流浪，逆來順受地竭盡一己之力掙扎求生，乞討度日，就像本書第 211 頁所載那名僅求他人施捨一點點殘羹剩飯的孩子一樣。

生活雜誌刊出的邁可・路吉爾所攝那些使人爲之心碎的圖片，正是橫遭戰火摧殘的全部兒童之最見具相化的寫照。路吉爾的報導題爲"不笑的孩子"，述說的是本書第 203 頁所載那張令人一見難忘的幼小面孔，那個名爲康庫利的五歲男孩的故事。孩子家所在的村莊，一度陷入聯合國軍與中共軍激戰的交叉火網之下，孩子的家人卻竟堅拒撤離；待到戰鬥結束後，一排美軍進抵孩子家門，嗅到一股强烈的臭味。路吉爾接着描述：一名美兵走進屋子，"看見靠裏屋角的牆邊蹲縮着一個赤裸小身子，渾身毫無動彈，只張大着一對眼睛"。等到別的士兵也都相繼入屋，孩子才軟嗒嗒地舉手作自衛狀。然後，路吉爾再寫道："士兵們發現在另一屋角的草席上還躺着一個女人屍體"——這便是孩子的母親，已被打死好幾天了。

當一名士兵抱起孩子（孩子已餓得不能走動了），打算帶去安全地帶時，這名五歲小男孩竟突然舉手，仍然回指着自己那個家。"眼淚在他臉頰上滾滾流下，他的全身都在痙攣戰慄。帶他回營途中他一直不停地哭，淚如泉湧，卻絕未發出半點聲音。"

這位康弟弟經過了很久很久，仍然是既不肯笑，也不肯吃任何東西；直到最後把他再抱去一間孤兒院，他才開始進食，並把自己的名字告訴了院內工作人員。幾週以後，路吉爾最後一次去看康庫利，孤兒院一名韓國職員讓康庫利到吉普車上去玩時，這個小男孩的那張除悷久久不散的臉蛋，這才算首次綻開了一個爽朗的微笑。

1950年12月中共軍進迫興南港時，擠聚在興南岸邊正等候登上一艘貨輪（圖後部）南逃的韓國難民——好些都穿戴着來路不明的美軍裝備。

1952年秋，南韓全羅南道的警察與匿伏山間的北韓遊擊隊激戰一週之後，正將遊擊隊遺屍分別綁上長竿，抬下山去從事查驗辨認的情景。

1950年9月聯合國軍反攻漢城時，兩名溜上了前線的韓國孩子，戴着向美兵討來的塗有偽裝的鋼盔，正用雙手掩耳，抵擋戰場上的炮響。

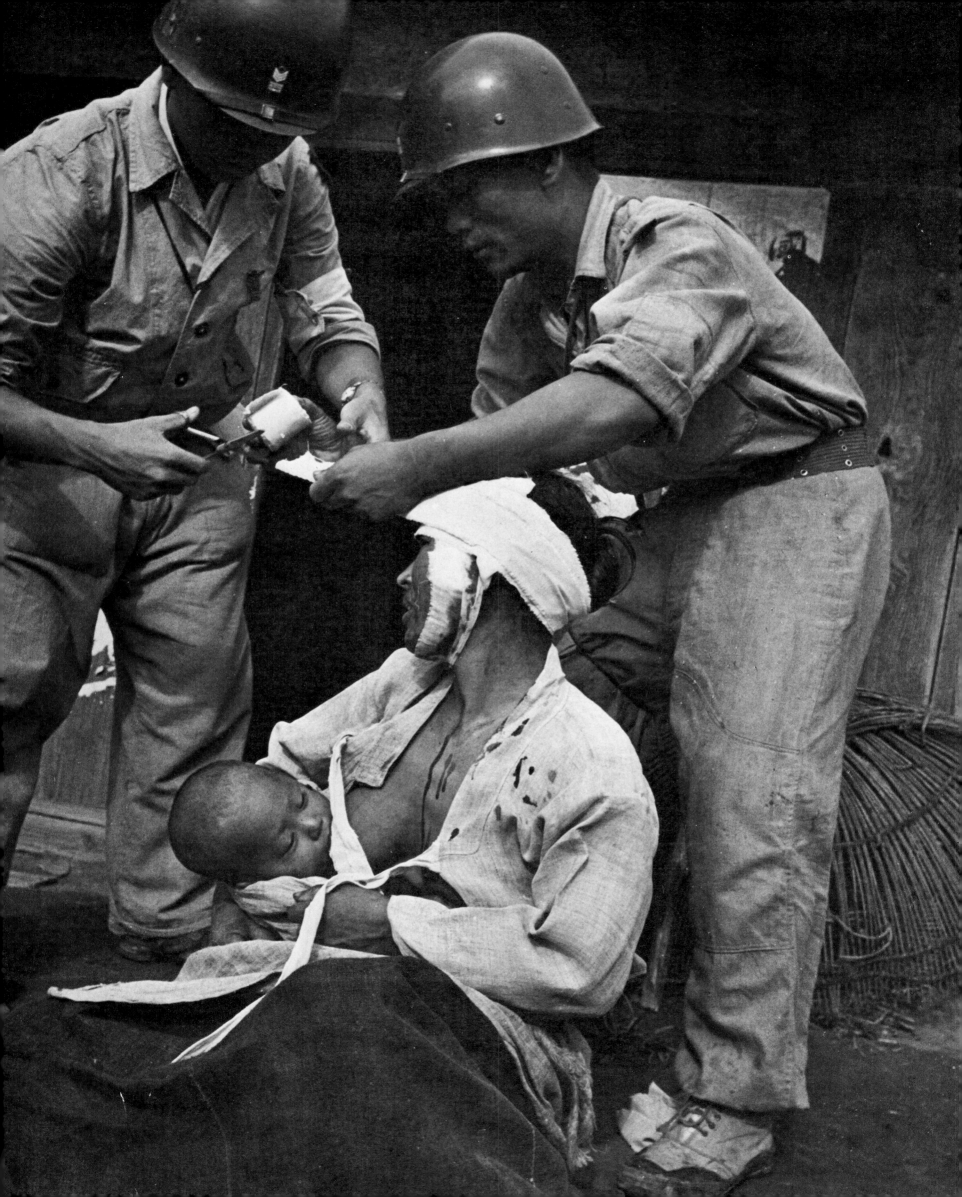

1950 年 8 月第 626 號高地爭奪戰中被破片擊中
頭部的農婦，由南韓軍看護兵急救裹傷時仍在
勉强給幼兒哺乳。本圖剛拍下後，鄰居即告知
這個母親她另一個被炸傷的孩子業已死去了。

1951 年 5 月被找到的這個業在母親屍身旁獨守
多日的韓國孤兒，當時已是不能說話也不能作
出任何表情的了。這便是生活雜誌發表的那篇
感人極深的報導"不笑的孩子"一文中的主角。

1952年秋在和順鎮清剿北韓遊擊隊之戰中殉職的南韓青年警官靈柩，正由華麗的棺架抬上山頂安葬——當地民俗認為如是即可早升天國。

警官靈柩出殯(上圖)後，遺屬婦女開始放聲大哭的情景——按照韓俗，女性是不准送殯的。

204

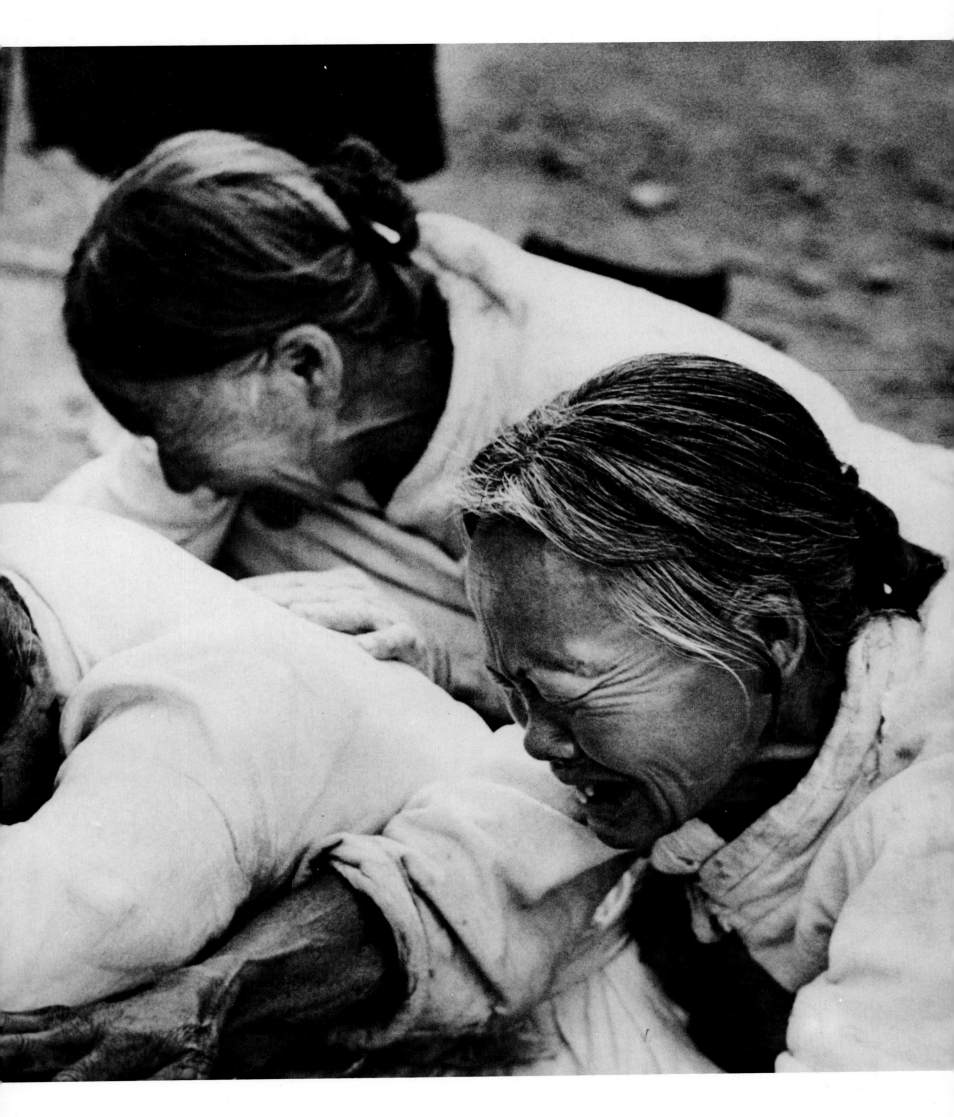

1950年9月，聯合國軍光復漢城。圖爲漢城一
名兒童，正拿着一個美軍的空罐頭展顏歡笑。

1950年杪聯合國軍在中共軍追擊下向南撤退。
平壤城外的大東溪鐵橋雖已爲轟炸所毀，自城
中逃出的成千難民仍舊要拖男帶女攀橋而過。

1950年夏，韓戰剛爆發最初數週內，在北韓大軍攻勢之前希圖逃出戰火的難民們，僅能携帶着少量隨身雜物倉皇南奔。圖為一羣難民正在上空的美機隆隆聲中，徒步涉水渡河的情景。

1950年8月，躲避北韓兵禍南逃的難民們，一切家財都只能隨身攜帶着蹣跚上路——因此，就連這個小女孩也都拿着她拿得起的那一份。

無家可歸的孤兒，正是戰爭造成的一大慘象。本圖攝於1953年3月釜山，圖中這個小可憐，從清晨起便得在人地生疏的街頭四處行乞了。

越南戰爭：迴異常情的一場纏鬥

越南戰爭是一種並無明確前線的連串搏鬥——迷離如八陣圖的稻田，看起來完全一樣的村莊，以及此外那些數之不盡的無名山頭，盡是這一戰爭的廝殺場所。越南戰爭由第二次世界大戰後1946年的反抗法國殖民主義之戰開端，拖了幾近三十年始告結束，毫無疑義得算本世紀歷時最久的戰事之一。

其實越南這地方幾世紀以來就一直是兵連禍結的了：最初是各地軍閥的混戰，其後即是法國對它的侵伐——法皇拿破崙三世開始想拿下那時還叫安南的這塊地方，直到約莫四分之一世紀後的十九世紀八十年代，法國對這一地區的控制權才算完全建立。然而越南人的零星反抗却一直並未停止，到了二十世紀三十年代，這些反抗力量更在一股隱匿着的共產主義運動號召下逐漸凝聚起來——後來易名爲胡志明的那個人，即是當時的一名領袖。

第二次世界大戰爆發後，包括共產黨人在內的越南復國之士對法國統治者的鬥爭依然持續不斷，待到法國已爲德軍佔領；仍留駐所謂印度支那地區的法國殖民主義者即改向日本勾搭，接受日本佔領，因而越南共黨份子也就自動站到了正與日本作戰的"資本主義國家"美英諸國這一邊。及至1945年日本宣告投降，在戰爭期間一直僅以越南愛國領袖身份接受中華民國政府庇護支持的胡志明，便順理成章地率領着四年前已在中國組成的"越南獨立同盟"（越盟）、帶着一支訓練有素的越軍，跟隨着開赴越南北部接受日軍投降的中國國軍，迅速進入河內，取得了抗法越南領袖的地位，並立即於該年9月2日，宣佈了包括整個越南在內的"越南民主共和國"的建立——這時，胡志明及其所建政權的共產主義色彩仍是尚未公開的。

不過胡志明並不順利。在越南南部接受日軍投降的英軍，將原被囚法軍釋放並予武裝後，法國（剛自納粹佔領下解放不久，僅靠美英支持始得躋身"五強"的法國）很快便恢復了越南南部的殖民統治，並於中國入越國軍受降完畢撤退之餘立刻重臨越北，與胡志明政權經過了數月並無誠意的談判，終於不理胡志明而於1946年6月在南部另建一個由法國卵翼的、以保大王爲首的越南政權來與胡志明越盟政權公開對抗——從此開始，越盟即與法國正式翻臉交火，退入鄉區，再次展開對抗法國的"解放戰爭"，而其共產色彩至是亦不復再事掩飾。這場法越之戰前後延續了整整八年，雙方軍民死難共達920,000名之衆；最後是精疲力竭的法軍，在1954年3月北越重鎮奠邊府爲胡志明麾下悍將武元甲所圍，全軍盡墨之後，終不能不於兩月後的5月8日向越盟正式低頭；然後，經過國際大規模調協努力所達成的法越雙方停火協定，遂於又兩月後的 7 月21日在日內瓦正式簽字。

　　按照日內瓦的這一協定，越南應自北緯17度剖分為南北二部，北越隸屬越盟所建的共產政權，南越則歸法國支持的非共政府統轄，並定於兩年後的1956年，在雙方同時舉行普選以恢復統一──北越政權與法國都是這一協定的簽署人，但這時已在法國支持下取代了保大領導地位的南越政府總統吳廷琰，却並未在這一協定之上簽字。這時，胡志明政權在北越的共產統治已日益加強，不能接納共產統治的北越人民業已大批移徙南方，在北越地區的公正選舉顯已絕不可能，"全越普選"顯已只是越共囊括全越的一種手續形式了，因此吳廷琰在參與日內瓦會議的另一大國美國的支持下，便一直拒絕舉行這一普選。胡志明對此的答覆便是：命令他那些本已在南越隱蔽起來的軍隊重行出頭，配合當地的共黨游擊武裝，再次展開了爭奪越南的戰鬥。

　　美國最初僅向越南政府提供武器和顧問，協助它去對抗共黨暴亂；但在共黨威脅日益增大之下，美國對越戰也就愈陷愈深。1964年北越正規軍數師大舉南下，投入戰鬥；次年 2 月南越業已岌岌可危，美總統詹森即決定命美國空軍轟炸北越──這一行動仍未能阻止河內政權補給與軍隊之繼續穿越北緯17度線，因而四星期後，詹森再派遣 3,500 名美國海軍陸戰隊直接登陸大南，越戰的"美國化"便由此開始了。

　　美國在南越的參戰努力至1968年達到高峯，派赴南越的美軍已逾 500,000 名，北越的攻勢似已受到阻遏。然而就在該年 2 月，越共發出了前所未有的最大猛撲：他們先建議在農曆新年停火，得到南越軍同意後，就趁這一停火時期向南越的逾百城市與軍事基地同時進襲──這一新春攻勢並未達到摧毀南越軍與美軍抵抗力之目的，而且反使共軍本身實力大受損傷，但它却確是越戰的轉捩點。美國的新總統尼克遜雖向北越設在高棉的各供應站轟炸一番作為報復，但這時美國人民多已厭戰，在强大的政治壓力下，尼克遜不能不決定開始將美軍地面部隊撤出越南了。

　　按照預計，美軍撤出南越後形成的實力真空，應該是南越軍加上美國强大空軍即可彌縫的。然而到了1975年 5 月──新春攻勢七年之後，胡志明死去近六年後──南越仍終於整個崩潰而陷入共黨之手。這場戰爭的慘痛代價是：美軍陣亡 56,000 名，南越軍戰死逾 200,000 名，被擊斃的越共逾百萬名；雙方平民喪生者更不計其數。此外，在這一戰爭中殉職的還有若干外國新聞記者與攝影員，包括生活雜誌兩名最優秀的攝影員在內：羅拔·卡帕與拉利·巴諾思。

奠邊府一役法軍覆沒之際，生活雜誌沒有任何駐越記者。不過讀者們在這座要塞陷落時，仍讀到了兩名空降赴援的法國兵所寫的現場報導──這篇報導的圖與文是在奠邊府臨陷前數小時才空運出來的。

　　美國對越戰的開始參預，也正是生活雜誌派員前往連續報導越戰新聞的這一長期工作的開始。奠邊府陷後不久，曾身經西班牙內戰與第二次世界大戰各大險惡戰役而仍然大難不死的羅拔·卡帕，便在湄公河三角洲因踏中地雷而殉職了。卡帕所攝的照片總算保存未失，在他死後的次週即在生活雜誌登了出來；照片所示的就是其後那些年內司空見慣的景象：小心翼翼地穿越稻田的士兵，哭泣的女人，橫七豎八的屍體。

　　拉利·巴諾思迄至遇難為止，在南越工作了整整九年，留下了許多精采的越戰圖片。他在1963年的一篇攝影報導中，向生活雜誌讀者們展開出了一片森森然的敵貌：先是一羣怒目而視的黑衫俘虜，接着則是在水田內外狼藉散佈的屍骸──生活雜誌所加按語是：這些照片"表象出了只有彩色照片才可表象出的，在這場戰爭中的血漬、泥污和殘暴。"生活雜誌此後還繼續利用了由日本攝影家岡本昭彥所攝的許多同樣殘酷的照片，把這一血淋淋的彩色效果一直運用到1964年。

　　1966年時採訪越戰的外國記者羣已以百計，生活雜誌的攝影員由於其時已無值得悉力以赴的重大作戰行動，遂把注意力轉向美軍小部隊單位的戰鬥。大衞·道格拉斯·鄧肯便有一篇描述駐守崑天山頭美陸戰隊遇襲情景的報導。此外，生活雜誌也用了大量篇幅來介紹那些幾被遺忘的越南平民──他們也和士兵一般地受苦喪生；他們各人那些獨特的形相，諸如悲悼死去的親人、拚死逃生、畏縮戰慄或木無表情的茫然凝視等等，盡是這一儼在美國天邊的戰爭之强力寫照。

　　關於那場新春攻勢，生活雜誌除刊出了李察·斯宛生所攝越共進襲美大使館的生動照片外，還有由一名嬌小法國女攝影師凱塞琳·魯羅伊和她的男友記者佛蘭哥斯·馬若爾所攝的另一堆照片──他們騎着一輛雙人脚踏車前赴順化採訪時，順化已為共軍所陷，於是二人都作了俘虜；但出奇的是，不僅二人很快即獲釋歸來，連他們沿途所攝的膠捲，也都由魯羅伊塞在乳罩下全部帶回了。

　　1970年美軍開始大量撤退，至1971年秒即以只剩下幾千人了。生活雜誌此時繼續報導的，除美軍掩護部隊的苦鬥而外，還有美萊村大屠殺事件，以及有關美軍吸毒及戰俘情況等等的深入探索。

　　生活雜誌在1972年12月29日最後那期介紹了越戰殘破景象後說："只在雙方都怵於這片慘象而想到和平時，印支戰爭始有結束之日"。

天空之戰

越南戰爭的天空戰鬥行動，在拉利·巴諾思攝影任務中乃是最饒技術困難而也最成功的。他伴隨着戰鬥駕駛員日夜飛行，無間晴雨，幾乎坐遍了用於越南的一切機種。巴諾思是個狂熱追求完美的人，有一次僅爲了要拍攝一張油漿彈爆擊照片，他便在美國的戰鬥轟炸機上足足花了11天，配合着飛機每次的衝低攀高，站在後座上獵取鏡頭，直到終於攝得了最理想那一張才罷手——那是一張駕駛員、飛機、炸彈與地貌都配襯得恰到好處的圖片。

　　巴諾思自己要作的單項拍攝任務之最困難者，大概得數他對那種每分鐘可發射18,000發子彈的特種機鎗威力的拍攝——那是裝在改裝過的C-47機上、專門對付地面僞裝敵人的（見第220～221頁）。他先得說服空軍當局拆除機後艙門，好使相機獲得較闊的視域，然後再把自己綁實在機艙中，相機則綁在門框之上。"這樣，我才可以逆着狂風去抓牢相機，"巴諾思報導說："在飛機盤旋越共陣地上空時攝下照片。"

　　巴諾思那篇關於搶救直升機員的生動圖文報導，在所有的戰爭圖說中應該都屬上乘之作。事件的開端是陸戰隊的一名青年機鎗手帶着機鎗，大模大樣地跨上一架諢號"美國老子13號"的直升機——那是運載南越軍前往突襲越共集結場所的直升機組中的一架，巴諾思也是同搭該機前往探訪的。待到這架"美國老子"抵達目的地，冒着越共炮火卸下兵員時，巴諾思便留在機內，透過機門拍攝照片。然後這架直升機飛返基地另載兵員，重行飛赴這一敵人集結地帶。這次，駕駛員發現了首次飛行編隊中的另一架僚機竟仍在當地滯留不動——"美國老子"立刻降落該機側近，兩名大兵迅即躍出該機機艙，奔赴"老子"，原來兩人都已負傷，連攀登這架援機都得靠人幫手了；這時，大家注意到這架已毀直升機上的駕駛員仍癱在駕駛座上，於是巴諾思描述說："機長法萊當下騰身出機，快步跑過去，我也跟着他衝。"——70碼外一間石屋內的越共機鎗驀地掃射起來，機長卻仍能冒着彈雨，爬上那架毀機，試圖把那名駕駛員拖出機外，終因辦不到而只好放手。巴諾思接着說："我們匍匐着跑回'美國老子'，立刻起飛攀升，盡快離開這個鬼地方！"巴諾思用來結束這篇報導的是一張悽愴的圖片：那名本屬神氣萬分的陸戰隊機長，在這一任務結束後，哭泣得來簡直成了一個孩子（見229頁）。

　　爲什麼巴諾思一定要到這種場合去冒險犯難？因爲只有這樣，他才可以攝到符合戰地記者專業水準的鏡頭——際此時會，任何害怕都給擱到旁邊去了。巴諾思描述這一直升機員搶救任務時便說："根本來不及害怕。真正的害怕必得有時間去想，去估計有多危險——然而，要是真是這樣的話，你當然就沒法子拍到任何照片了！"

1966年6月，一架美國飛機低飛投擲的磷光彈四散爆開，將越南叢林內一座村莊照耀得如同白日。那段時期美機每日出擊共達700架次。

1966年7月，一架極度低飛的F-4C 幽靈式機
向確定爲越共集中地的村莊作火箭迸射攻擊。

1966年春，往襲柬埔寨附近越共集結地的美空
軍"A-1天兵式"機隊在照明彈光中矇矓可見。

一架 A-7 戰鬥機自"珊瑚海號"母艦發射機內彈
射而出，快速得宛如飛彈。本圖攝於1972年初。

由過去廣泛使用的民航機DC-3 型改裝而成的
美空軍C-47型軍機能作60度傾斜，機上裝配的

機鎗每分鐘能射彈18,000 發。圖為此種飛機在
1966年 6 月往援被圍前哨時曳光彈齊發情景。

1966年夏邊和機場救火訓練中，一架HH-43型
直升機正向四面皆火的飛機弔下泡沫滅火器。

1966年6月攝得的這三幅連續照片，將油漿彈
的可怖威力表露無遺：起初只是在越共村畔爆
出一團火球；接着火焰便在村舍中迅速蔓延；
最後即是村中的每一座房屋全都着火焚燒了。

在溪山地區被圍攻達76日的美海軍陸戰隊純仗
直升機補充給養；迄至一支友軍裝甲部隊艱辛
衝破越共封鎖後，這6,000名美軍始解圍獲救。

1964年5月，空運南越軍前赴越共一處堅強據點從事奇襲的三架H-21直升機，由美國駕駛員駕駛着正在並肩下降；各機艙門都站有手持機鎗監視地面、準備壓制越共炮火的美國士兵。

"美國老子"在完成了它的棘手任務，安然返防之後，剛才（左圖）那名青年機鎗手，即因了另外尚有一名袍澤仍未獲救回而不禁號啕痛哭。

1965年4月，美國直升機"美國老子13號"在遭遇越共地面炮火攻擊時，機上一名機鎗手向另外一名高呼："我的鎗給卡住了！顧住你那邊！我還得照料這兩個倒霉蛋。"在他身旁躺着的，是已爲越共炮火所傷、正在流血的兩名機員。

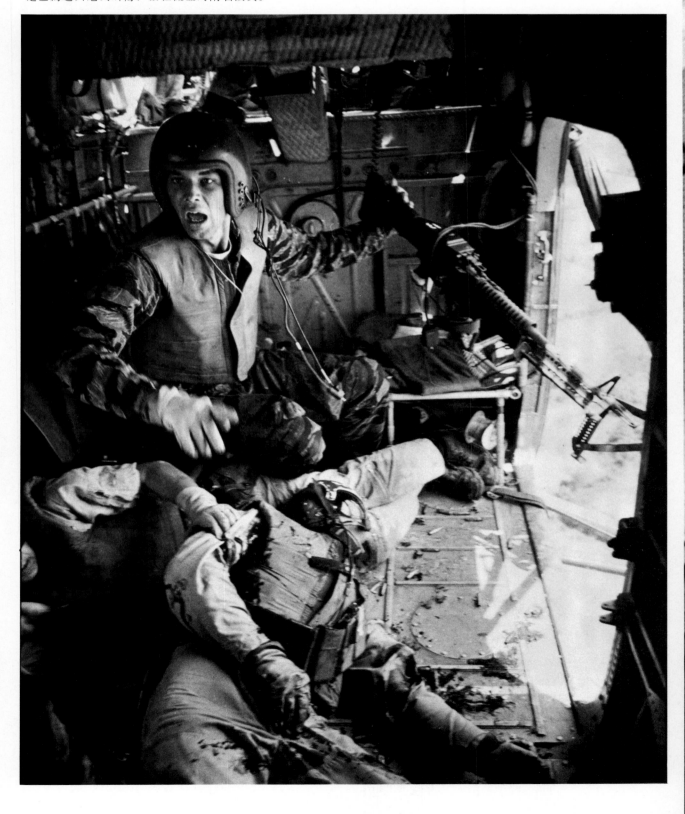

地面之戰

拉利·巴諾思在報導越南空戰時獲致的那種輝煌水準，也是生活雜誌其他專事地面戰爭報導的攝影記者們同樣達到了的——那怕巴諾思本人有關地面戰鬥的報導，不少也都和他攝自天空的圖片同樣精采動人。越戰圖片中極足令人觸目不忘的一張，即是巴諾思鏡頭下的，一名美國傷兵蹣跚着仍要前去撫慰另一名重傷袍澤的這一情景（見第232～233頁）。

科·倫提密斯德與馬克·葛德夫烈更有足夠時間去發掘這場地面戰爭的各色卓絕鏡頭。倫提密斯德拍下了駐守達特的步兵，向戰死同袍遺靴列隊致敬的這一神奇的畫面（見第260～261頁）。葛德夫烈則在越共挖掘地道潛入戒備森嚴的溪山美軍基地，引爆一座軍火堆棧時，適時找到一處恰切的高地，因而得以拍下這片火樹騰輝、夜空如畫的奇景（見第236～237頁）。

在這場殘酷慘烈而且變幻莫測的戰爭中，生活雜誌攝影記者為之喪生戰地者僅不過二人，已可說是非常難得的了。他們好些都有去死間不容髮的經歷；科·倫提密斯德曾在西貢重傷瀕死；大衞·道格拉斯·鄧肯也曾在崑天幾乎喪命——他乘坐直升機降入四面被圍的陸戰隊陣地去獵取鏡頭，敵人炮彈在他攝影時愈落愈近，直到一顆152公釐炮彈已擊中距他所處戰壕僅15呎遠的外壁，震盪的相機竟把那條堆有沙包掩體的戰壕都給模糊拍下為止。鄧肯回憶說："我震聾了，不過沒死，打到臉上只不過是一對滿塗泥漿的陸戰隊軍靴而已。"他忽然發覺還沒真聾，因為立刻又聽到了身後不遠處爆炸的排炮巨響。他立刻趕去着彈地點，攝下了正從一條被毀戰壕中抬出傷兵的鏡頭。

在這批獻身戰場報導的勇敢攝影記者羣中，還另有一位極饒膽略的女性：法國的凱塞琳·魯羅伊。僅得5呎高89磅重的魯羅伊小姐同樣說動了當局，獲准前往本只極少數男性攝影記者才特許可去的溪山谷那一激戰的現場——她隨同陸戰隊步兵，迎着機鎗的彈雨衝上了881山頭，攝下了一幅其慘烈儼同硫磺島及豬排山之役的戰爭圖片（見第234頁）。

最後，還必須指出巴諾思的另一無與倫比之點：他在越戰全部最慘烈年頭中的那股不停歇的獻身之忱——巴諾思殉職以後，生活雜誌曾在編者按語中對他這股赤誠特誌崇敬："他花了九年的時間，在非屬偶然而是一次又一次的無可置信的危險情況下，不斷從事越戰採訪工作。我們一直想方設法要他去另作別的比較安全的報導，他却在一幹完後又立刻回到越戰去了。正如他所說：這場戰爭即是他的報導職責所在，他一定要有始有終，把它從開頭直看到結尾！"

1966年10月，駐守越南非武裝地帶以南的美海軍陸戰隊積極部署迎擊即將來犯的北越軍時，一名士兵肩扛着擲彈筒徒步涉河的情景。這名士兵在拍下這張照片十二日後即宣告失蹤了。

這是拉利·巴諾思在1966年秋天非武裝地帶以
南那場戰役中攝得的動人鏡頭：一名已被送到
急救站施救的輕傷士兵，在一股衝動之下竟想
蹣跚着走到另一名重傷袍澤身畔去予以撫慰。

一名美國海軍看護兵，在 811 山頭冒炮火爬近
一名陸戰隊傷兵身畔去探視脈息，知已無望。

美陸戰隊士兵蠭擁越過一名業已倒地的弟兄，
正在溪山谷外纏結如砦的灌木地帶艱辛前進。
這是1967年春天該地一場12日戰役中的一景。

1971年3月，北越軍挖掘地道潛入溪山美軍基地，引爆了一座軍火堆棧，圖為不斷爆炸的火箭正光熠熠竄入夜空，宛若烟花噴泉的奇景。

237

仍是1967年10月的崑天景色：當敵炮的彈着點
漸近時，一名陸戰隊士兵快速衝向掩蔽壕——
壕中早給先到士兵和儲存軍火塞得滿滿的了。

1967年10月美國直升機隊降落崑天基地卸下補
給後，越共監視人員立將補給品所在地點密報
10哩（16公里）外的共軍炮兵，共軍152釐米重
炮即向該地發炮轟擊。圖為共炮剛開始前後試
射測距時，一名陸戰隊士兵躍向戰壕的鏡頭。

1967年10月，駐守崑天的一名滿身泥汚的陸戰
隊士兵，正在歡度雨季中的一個大霧天——敵
人的一切活動，這時都給泥濘和霧障困住了。

1968年5月越共進襲西貢，不逞而退。圖為正
在穿越15年前剿共陣亡法軍公墓的南越追兵。

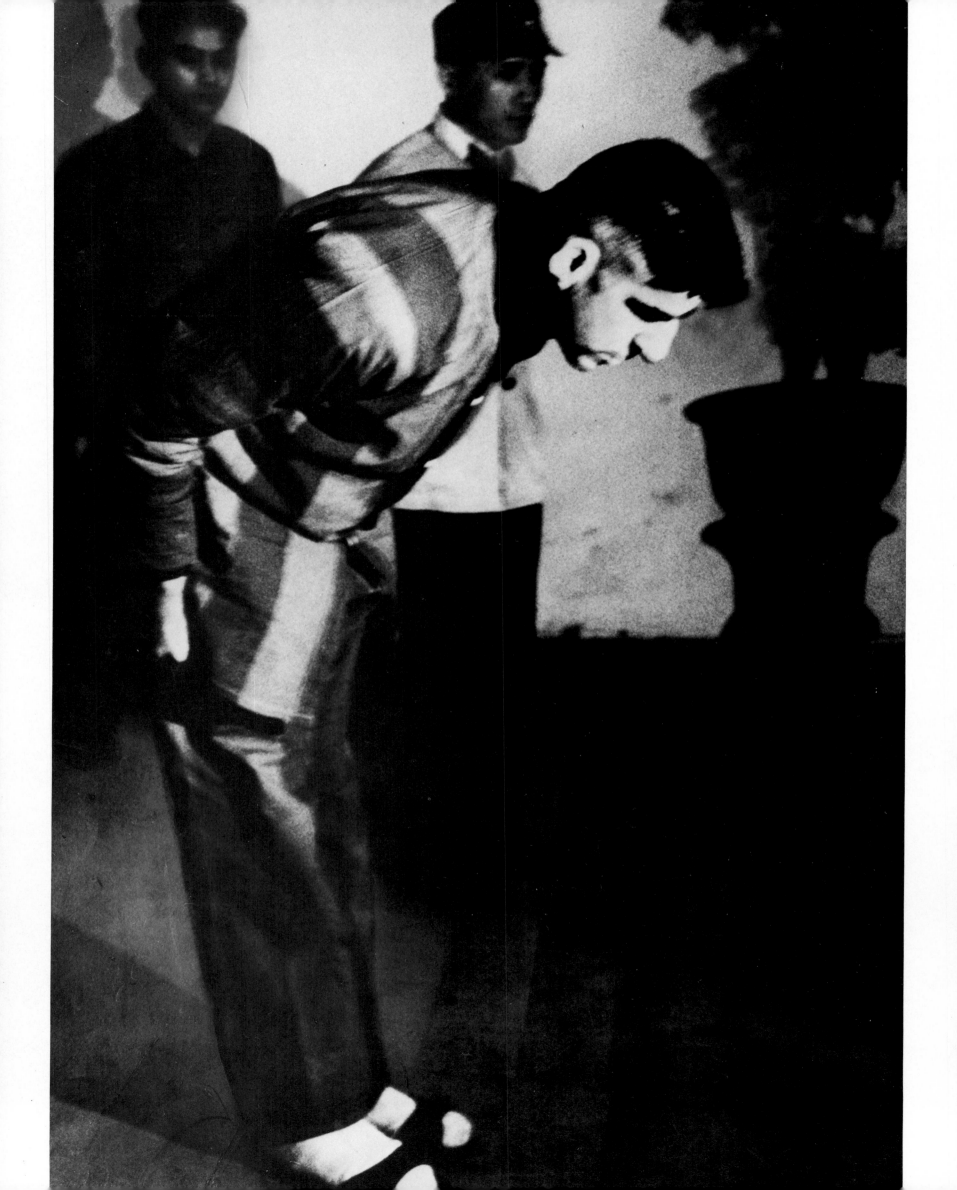

1967年3月河內一次記者招待會上，一名在北
越上空擊落被俘的美機駕駛員正在鞠躬如儀。

1965年秋一名藏匿南越田間的越共游擊隊被捕
後，先用膠帶密封口眼，始在嚴密監視下通過
戰線解往戰俘營，藉防呼援及窺見陣地情況。

1968年2月，溪山11週包圍戰中的兩名陸戰隊
士兵置身如壘的沙包堆，靜待敵人再度來襲。

駐守非武裝地區崑天山頭的一名陸戰隊士兵，
在1967年10月漫長雨季中耐心汲出壕中積水。

彈坑密佈的崑天小丘上兩名正在傳火點烟的陸
戰隊士兵。越南人把這座小丘叫做"天使山"，
粗魯的陸戰隊士兵却把它乾脆名之曰"墳地"。

1967年9月28日的崑天，攝影記者大衞·道格拉斯·鄧肯筆下的一個"美好的"上午，美海軍陸戰隊部隊的士兵，正靜觀着美機對一個其下山谷中即有敵人陣地的山頭所作的轟炸掃射。

1966年10月，一隊搜索越共滲透形跡的美陸戰隊偵察隊，正在非武裝地帶南面濃密叢林中以單列縱隊艱辛前進，雖疲憊却仍能保持機警。

1962年1月，穩坐大象背上進入南越中部崎嶇叢林地帶的南越軍巡邏隊。越南軍人歷來都是用這一穿越密林險地的有效辦法開赴戰場的。

1966年10月，接近北緯17度的非武裝地帶內，
一名頭足皆傷的陸戰隊士兵，經急救後被抬往
一架救傷直升機——該機也正在敵人炮火下。

1972年4月，萊溪地區一座軍火站經共軍攻擊
後着火焚燒，引起連串猛烈連鎖爆炸的情景。

圖前彷彿已在大火包圍之中的卡車，乃是正停
在這一爆炸現場附近待命的南越軍運輸車隊。

1965年10月，美軍第173空運旅的一個連在西貢附近越共控制地帶"鐵三角區"進行掃蕩時遭受伏擊，正在救傷整編情景。圖上天空中迎面飛來的，是一架專事撤運傷兵的救傷直升機。

1966年10月，非武裝地帶附近484山頭的陸戰隊在北越軍熾烈炮火下救回了一名受傷弟兄。

1967年10月，一名在崑天前線負傷的前戰觀測
兵，就在戰地的簡陋救傷站中接受急救治療；
僅僅休養兩日，他便又回到前線崗位上去了。

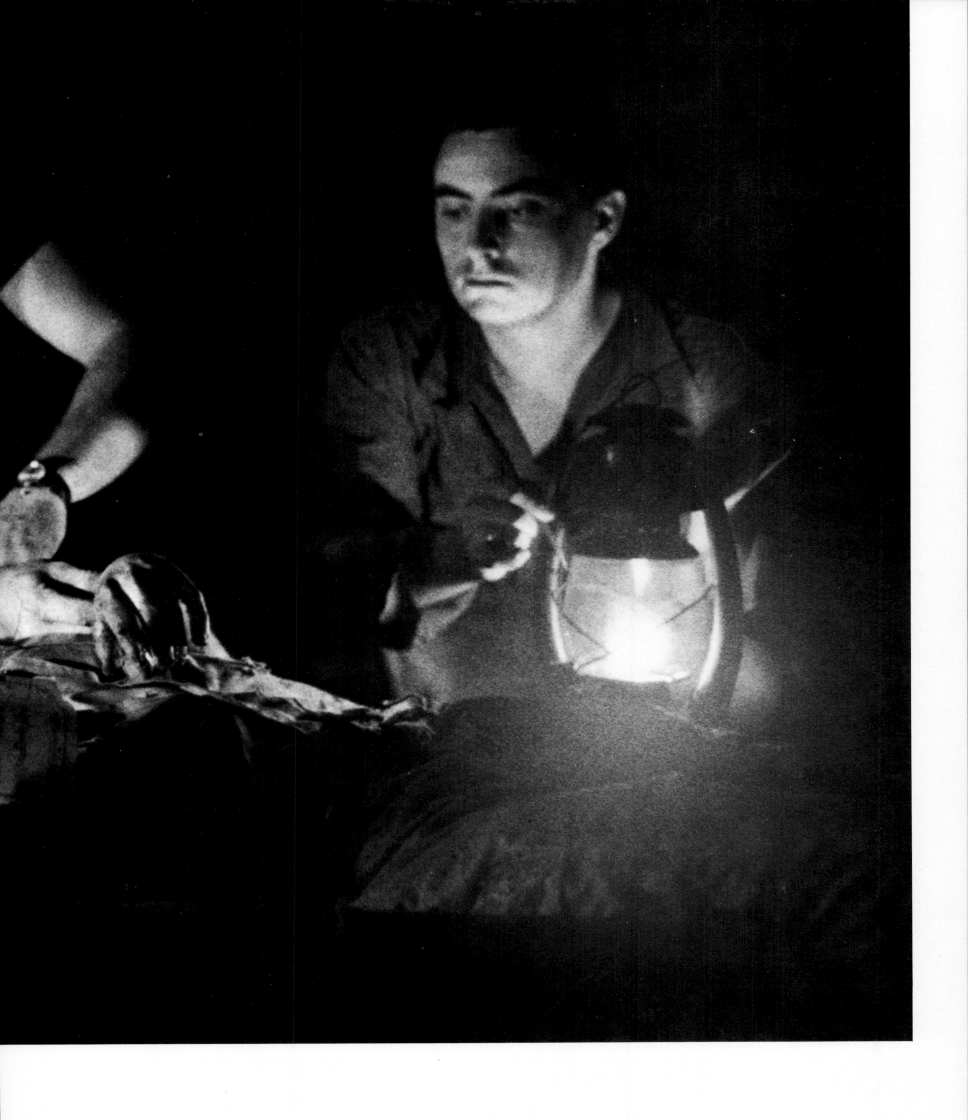

在達特附近一座小丘赤土上，整然排列着98對
軍靴，代表了美軍第173空運旅在1967年11月
第 875 號山頭保衞戰中陣亡的列列戰士；一名
營長宣讀陣亡人員名單，生還袍澤都一同列隊
舉手致敬，儀式莊嚴悽楚──痛失四位好友的
一名士官這時不禁悲從中來，癱坐地上飲泣。

戰禍受難者

越戰是一場迥異常情的殘酷戰爭，越戰中的戰鬥及伴隨戰鬥而來的種種恐怖活動，不僅在折磨越南人，而且還使大批越南人自己也不能不日益變得暴戾恣睢，殘酷冷血，轉人性爲獸性——這期間種種駭人聽聞的作爲，便構成了這場戰爭所遺圖片之特足令人永誌不忘者。本處即是三張這類圖片。第270頁一名少女哭悼爲越共所害的兄長那一張，是亨利·鐸曼所攝表現平民苦難的早期之作。日本攝影家赤塚俊介攝下了逃向順化盲目求庇的兩母子母親臉上的那股惶惑之情（見第275頁）。美萊村村民的神色（見第274頁），尤使人無從忘却。但最悽愴的恐仍得數拉利·巴諾思那張撫着亡夫遺骨痛哭的青年寡婦（見第276～277頁）——這正是一張活生生展陳在生活雜誌讀者之前的、業已陷入無可逾越地獄中之全部越南民眾慘境的寫照。

在1968年2月新春攻勢中被捕獲的一名越共，
反縛雙手，由西貢警局官員在街頭當場處決。

1963年6月，爲表對南越吳廷琰政府歧視佛教
政策的抗議，當衆自焚身死的一名佛敎僧人。

南越空軍"天兵式"機在莊望所投的一顆油漿彈
誤中己區，引致南越兒童瘋狂逃命的情景——
一名九歲女孩扯光着火衣褲後始獲幸免於難。

在1965年6月洞塞之戰中受傷的一名女孩，隨同其他村民掙扎着走向一架救傷直升機求助。女孩家園全毀，父親和一兄一姐通通身死了。

1967年夏美軍在南越鄉村推行了一個公眾衞生
計劃，協助村民去改善當地衞生情況。圖中嬰
兒歡然沐浴的情景，即是這一計劃內容之一。

奉爲和溪陸戰隊營地祥瑞的一名南越孤兒，正
和一名美兵朋友遠足垂釣歸來。1967年夏攝。

1964與65年之交的冬天，越共對南越軍後方的
滲透破壞日趨激烈。圖爲滲入西貢的越共人員

將南越軍一座軍需補給站縱火焚燒後，一名南
越青年正協助軍隊從事徒勞無功的救火工作。

1964年秒，一名越南少女捧抱着在對抗越共戰
爭中陣亡的兄長遺照，哭得死去活來的景象。

1964年春，一名南越士兵抵達本屬自己家園所
在的西貢西南村莊防地參加抵抗越共攻擊時，
發現所接到的一個附有標籤的待葬包裹中竟是
自己兒子的屍體，當下如中雷殛的悽楚鏡頭。

1967年初，北越在美國空軍一次空襲之後，金山附近武裝農民正在水田中修補一道剛被炸毀的土築田埂情景。（北越民兵中同時包括男女兵員；沿田埂而築的防空壕在本圖內不能見到。）

1968年3月，美軍一個單位在南越美萊村大開殺戒，圖為村民們在被屠殺前瞬間，感到不測之禍即將來臨時彼此戰慄着攙成一團的情景。

1972年春，在迅速推進的北越大軍到達前逃離廣治的兩母子，母親臉上滿佈焦灼不安神色。

1968年2月北越軍在新春攻勢中一度佔領順化，大肆屠殺；及至南越軍克復順化後，翌年即自多個亂葬塚內發掘出總數共達800具的被害平民遺骨。圖為一具遺骨經辨明身份交由被害人遺孀認領時，這名青年寡婦當場撫骸痛哭的悽愴景象。

"小型戰爭"

自聯合國軍在韓"警察行動"結束後，直到越戰激鬥接近尾聲的這段期間，生活雜誌攝影記者與通訊員對世界各地另八樁熊熊然的"小火頭"也都分別有所報導。這些個戰爭中，有的就如阿爾及利亞之戰一般乃是殖民地向宗主國求取獨立的鬥爭，有的乃是推翻國內專制寡頭的革命，還有的——也是流血最多的——則是國內或國際長期宗教紛爭與民族積怨之最後的爆發。

阿爾及利亞之戰與亞丁（南阿拉伯）之戰都是前後拖延了好些年的兵連禍結的鬥爭，因此當它們尚在持續進行時，世界上往往還另有別的相繼出現的戰事。與此相反的則是阿拉伯以色列之間那幾次快速戰鬥，快速到生活雜誌通訊員與攝影記者好不容易剛剛趕抵戰場時戰爭即已瀕結束，因而他們所能作的，無非準確報導正在疾速推移的戰線，並在各方發佈的混亂矛盾消息中善加擇別而已。不過，雖有上述種種困難，生活雜誌對這些自第二次世界大戰大破壞中茁長而出的各色民族情緒民族野心的糾結，對這些介於韓戰越戰之間的各地小型戰火，仍然作出了生動的報導，提供了同屬生活雜誌36年刊行史中上選之作的好些記述和圖片。

阿爾及利亞自1830年起即在法國統治之下；當地居民對這一西方殖民統治的怨憤愈積愈深，終於1954年一次武裝叛亂後擴大而成全面的戰鬥。這一鬥爭之中，叛軍面對的除法國政府外還有那些極右派"殖民"亦即保守的白種居民，他們的家庭不少是已在阿爾及利亞落籍居停了好些代的——因此，這是一種帶有深刻種族仇恨的鬥爭，鬥爭雙方都不免於大肆虐殺（見第280～281頁）；如是直到1962年，阿爾及利亞才算最後獲得法國的同意，宣告獨立。

拉丁美洲的古巴革命，自本世紀五十年代起一直就在醞釀的，也是一場同室操戈的慘烈血戰。這一革命一開始僅是潛匿麥斯特拉山區的小股叛軍的活動，但因這股游擊武裝之善能領導，終於發展成了使整個古巴日形癱瘓的大騷亂。古巴本來那個獨裁者富爾金西奧·巴提斯達對古巴採用的乃是一種領主型統治，只知用更多更兇的鎮壓去對付內部的不安——這對那位滿面鬍鬢、儼然父親風範而且跡近神秘莫測的菲德爾·卡斯特羅領導的游擊隊而言，乃是完全無效的，卡斯特羅終於逐步控制了整個農村；如是經過六年苦鬥，到1958年杪時就連巴提斯達的軍隊，也明白絕大多數人民已傾倒於卡斯特羅麾下了。生活雜誌在1959年1月12日那期報導說："巴提斯達統治業於除夕黯然告終"——這位獨裁者終不能不相信"為了國家"他必須下台，從而携眷出奔多明尼加，度其流亡生活，而改由卡斯特羅率領徒眾，在一片瘋狂祝捷聲中勝利進入古巴首都夏灣拿了。

同一時期，遠在遙對古巴的地球彼方，生活雜誌又對高達三哩的喜馬拉雅山下另一迥異的戰場有所報導。中共統治下的西藏在1959年爆發過一次反叛，中共軍的鎮壓追捕行動涉及了在世界地圖上素屬中國、但印度自獨立後即指稱為應屬印度的若干邊界糾紛地區，於是印度在"擊退侵略"的口號下，終於與中共兵戎相見。

生活雜誌也報導了這場幾不可能探訪的戰爭（見第286～289頁），並已準備好要對中共可能隨即攻略全印度的那一大戰詳加報導了——中共這時却突然宣佈撤兵，僅以印度武裝部隊不再進入該一糾紛地區作為條件，印度政府也立刻接受。於是這場戰爭，遂在邊界糾紛依然如故的情況下急速落幕。

塞普魯斯島上希臘裔人民與土耳其裔人民之間素有民族糾紛，這種糾紛因為雙方各奉的東正教與回教這一宗教歧異所生偏見而益形惡化，結果遂形成了五十年代中期主要發生在全島各城鎮人民之間的衝突。生活雜誌對雙方這一陋巷偷襲、收完屍繼續砰砰再幹的奇異戰爭，也提供了特寫的報導（見第290～293頁）。希臘與土耳其兩國當局都同為平息兩族鎗戰、消弭數百載世仇而弄得狼狼不堪，直到1968年，才總算勉強達成了一個脆弱不穩的休戰協定。

亞丁地區那場連年烽火的小型戰爭，可說對每一方面的當事人都是一筆糊塗帳。事情的開始其實並不在亞丁這一英國保護領地本身而在鄰邦也門：也門1962年發生了一次軍事政變，政變者將封建君主伊瑪·穆罕默德·阿－巴德爾推翻而改建"共和國"，阿－巴德爾王則逃入了也門偏遠山區，發動效忠部落來與共和政府對抗。

埃及的納薩總統，認為這正是南向擴張勢力的大好時機，立刻向也門新政府提供軍援，而且為求防止亞丁英軍對阿－巴德爾王麾下部落的可能援助，同時也掀起了對英領亞丁的牽制攻擊，期使英軍自顧不暇——這樣，在納薩唆使之下，號稱"赤狼"的游擊隊，遂自也門亞丁交界所在的赤狼山向亞丁蠭湧撲進。

但英軍居然順利逐出了"赤狼"，阿－巴德爾王的山岳部隊對付共和軍也相當得心應手，使得納薩為了支持共和軍，不得不將更多供應品乃至埃軍本身不斷投入。這樣一來，沙地阿拉伯惟恐接壤各邦真的出現一個埃及衛星國，也開始起而支持阿－巴德爾王而捲入了漩渦。

這場小型戰爭在也門崎嶇山區反覆拉鋸了將近十年，最後是也門共和國在又一政變中重換了領導班子，業已打得精疲力竭的共和黨與王黨雖說仍難調協，也不得不於1970年在共和國體制下勉強獲致和解——業為日耗 500,000 美元戰費搞得焦頭爛額的納薩這時已經縮手，而英國也已同意亞丁獨立，很快便改名"南也門人民共和國"了。

比亞法拉之戰，按照生活雜誌的描述，乃是一場"滅族饑饉戰"。比亞法拉原屬尼日利亞，1967年5月由住民伊波族人宣佈脫離尼日利亞獨立，因而受到尼日利亞軍圍攻，在與世隔絕狀態下堅持了三年棲慘無比的獨立戰爭，而終告失敗收場的。比亞法拉戰爭之所以如斯慘酷，根源乃在主要聚居尼日利亞東部的 7,000,000 伊波族人與聚居北部的 6,000,000 豪薩族人之間的深刻仇恨；豪薩族人在對伊波族人的長期圍攻中，屠殺了不知多少萬伊波族人，待到1970年戰爭結束，比亞法拉獨立給最後取消時，尼日利亞東部伊波族人尚存未死的戰火孑遺，業已僅得450萬了。

北愛爾蘭城市游擊隊的戰鬥本已持續了好幾十年，但在六十年代及七十年代却演變得愈益熾烈。這一鬥爭同樣是由宗教種族摩擦造成的。北愛爾蘭人以基督教新教徒為多，主要屬於英格蘭及蘇格蘭族，因而僅佔少數的愛爾蘭族天主教徒遂每有基本公民權利橫遭剝奪的控訴。這些天主教徒最初只用棍棒拳頭來洩憤，其後却竟然拿起了鎗支——天主教徒的"義勇軍"對新教徒的伏擊往往不分男女老幼，而新教徒的"行刑隊"則在天主教徒聚居區域闖蕩巡廻，捉到了人就在此人家人面前公然鎗決；雙方的炸彈更把旅館戲院等等都炸了個不亦樂乎。待到英軍派入北愛、企圖分割雙方時，戰鬥的慘酷反因之而格外升級，竟發展成英軍與平民之間的相互廝殺了——由於英軍對嫌疑恐怖份子不加審訊即予拘留，更激起了針對英軍的反抗情緒。對於這一殘酷的鬥爭，不論是在貝爾法斯特的，還是在倫敦的（因為愛爾蘭共和軍企圖用帶進倫敦的暴行來迫使英國政府撤回入駐北愛的英軍），生活雜誌都有報導。總而言之，不論就英國人還是就北愛新舊教徒的狂熱份子而言，這場鬥爭彷彿都已使大家泥足深陷，欲罷不能，形成一種愈來愈像茫無了期的"愛爾蘭越戰"了。

以色列與其阿拉伯鄰國之間的戰爭，則與上述北愛纏鬥剛剛相反，似乎永遠是一打就完——然後再從頭打過。此種阿以之戰，生活雜誌前後曾有四度報導：1948年的，1954年的，1967年的和1973年的（最後這次是在生活雜誌已停止定期出版後的特刊版上發表的）。歷次戰爭中（在一定時期內）最具決定意義的應數1967年那一"六日戰爭"。戰爭從以色列先發制人的攻擊開始：以色列的噴射戰鬥機與轟炸機衝破雷達網，向猶在機場列隊停駐的埃及飛機展開急撲，予以殲滅打擊後，再去消滅完全暴露在西奈空曠沙漠上的埃及裝甲部隊自是易如反掌的了（見300～303頁）。

不過1973年的戰爭却絕非以色列的徹底勝利。這次是埃軍對以軍的出其不意襲擊，渡越蘇彝士運河，並攻佔了西奈半島上一個港口。以軍在付出嚴重傷亡之餘，奇兵渡河繞赴敵後，切斷了埃軍通向開羅的供應線。這場戰爭（見第304～305頁）終在美蘇緊急斡旋之下，在一種大致互不相下的勢態中宣告結束，形成了又一次聯合國監督下的停火——形成了迄在困擾整個世界的那些個小型戰爭之又一次的暫憩。

阿爾及利亞之戰

阿爾及利亞之戰是一種範圍廣闊的零星纏鬥，無人可知下次的公開對抗會在何時何地爆發，因此攝影報導至感困難，生活雜誌編者基本上可說只能使用任何可以到手的圖片。在有關早期一次衝突的報導中，生活雜誌採用了法國方面供應的照片，描述說：「素號忠誠的阿爾及利亞軍竟突向法軍開火，引進阿拉伯暴徒，搶走前哨士兵的武器，再隨着暴徒趁暗夜一起溜掉了！」

法軍對此次叛變的反應即是向叛徒隱匿地點發動猛攻。生活雜誌報導這一事件時所刊那張來自法國通訊社的攝影，即足窺見這場戰鬥的酷烈：衣衫襤褸的阿爾及利亞俘虜，正抬着夥伴屍體在全副武裝的法國傘兵行列間穿過（下圖）。與此恰成對照的，則是阿人在即將導致獨立的1962年停火協定後那種勝利的騰歡（右圖）──圖片性質絕殊，但都屬戰爭背後激情的深刻反映。

1956年3月，阿爾及利亞軍參加叛抗法國運動後，追擊叛徒的法軍終在蘇卡拉區德戈爾發現叛徒藏匿地，經猛攻後擊斃叛軍69人。圖為叛軍俘虜在法軍傘兵注視下抬走同夥屍體情景。

1962年3月阿爾及利亞全面停火，獨立在望，阿人湧入阿爾及爾卡斯巴區騰歡祝捷（右圖）。

古巴革命

匈牙利出生的安德魯·聖喬治，最初決意混入
卡斯特羅設在麥斯特拉山區內那座警衛森嚴的
偏僻營地時，連一個西班牙字都還不會；不過
他在別的方面倒已懂得夠多，深信足可獲得這
羣叛黨的好感。1957年春他以自由攝影師身份
進入古巴，抵達卡斯特羅根據地，與這位愁思
滿面的革命家相處了五個星期，這時卡斯特羅
隊伍還不到60人，武器僅得步鎗12支外加機鎗
1挺而已。聖喬治隨着這支小部隊四處走動，
一面練習西班牙語，一面還得學着去適應若干
獨特的膳食習慣——諸如學習如何煮食一種名
爲"馬加"的中型蟒蛇的肉之類。他對卡斯特羅
的逢迎手段委實到家，因此在他剛回紐約還不
到一個月，古巴叛軍的一名地下工作領導人便
帶着"最高領袖"的專函邀聘他重回古巴，作叛
軍自己的戰地記者去了。

聖喬治立刻接受這一邀聘，而且還把生活
雜誌的任命也同時搞到手。此後兩年他便不斷
奔走於紐約與麥斯特拉山之間——出入獨裁者
巴提斯達轄下的古巴竟遠比跟着卡斯特羅隊伍
去過叢林生活還要艱難，因此聖喬治有次只好
坐架小飛機飛到叛軍一座叢林營地附近去作緊
急降落，另一次則是靠剃掉鬍鬚，染過頭髮，
假藉他人證件，始得混過古巴政府的檢查哨。
總而言之，聖喬治前後住在山區凡六閱月，不
僅熟悉了卡斯特羅同時也熟悉了他那些手下，
諸如叛軍那個傳奇人物式的司令官威·古厄畢
拉，以及行將成爲此後夏灣拿政治權要的其他
各色人等。他攝下的照片共逾萬張，本處及背
頁所載的，僅不過其中兩張而已。

待到1959年1月，卡斯特羅及其徒從傾巢
離山，八日而下夏灣拿，取得最後勝利之時，
聖喬治也仍是隨侍"領袖"之側的。但在卡斯特
羅取得政權後，便開始阻撓聖喬治去作更多的
報導了——這位攝影家，曾因"從事帝國主義
式的攝影報導活動"，在1960年"被捕"達14次。

卡斯特羅的游擊隊，正在給一名"會叫的羔羊"
(間諜)補上最後一鎗——他們說是本想只用鎗
斃威脅來拷問這名嫌疑間諜藉求使之吐實的，
然而鎗隊中有支鎗不慎走火，業已擊倒嫌犯，
所以隊長也就只好再來上一記，讓他畢命了。

游擊隊正對孤戍愛爾·科布勒的古巴軍展開夜襲，急奔過一座已化熊熊烈火的政府軍車庫。卡斯特羅人馬實際上控制了廣闊的鄉區，入夜即遍設路障，白天即對駛過的政府軍車大肆伏擊。此外游擊隊還砍掘電杆，爆破橋樑，摧毀古巴橫島公路的設施，使官方交通爲之寸斷。

中印邊境的衝突

中共與印度軍在喜馬拉雅山隘一帶觸發的那一邊境衝突，最初僅是一種奇異的遠距離對峙，雙方軍隊其實都是極難瞧見敵人踪影的。高峻峽谷上那種墮指裂膚的嚴寒，與呼吸維艱的稀薄空氣，使後勤補給縱費盡九牛二虎之力也仍難解決。那一帶根本沒有配稱為道路的道路，巡邏隊幾乎全得仰仗兩條腿（左圖），一切裝備更必須使用人畜力量始能拖運上山（次頁）。待到後來兩軍真正駁火，印軍在第一週內即被擊斃達2,500名之後，印軍便只好退向山隘狹徑去憑險據守了。

生活雜誌的拉利·巴諾思，運用了他在後來越戰報導中大享盛名的同一想像力、技術與責任感，對這場戰事的特殊風貌及其戰術性困難攝下了不少精心傑構的圖片。他的栩栩如生的報導，說明了那一帶的地形——僅通羊腸小徑的險峻聳峙的山坡，即已高達20,000呎——對印度軍而言，便與善戰的中共軍同樣可怕。

1962年10月，印軍巡邏隊在拉達克邊境凜冽缺氧的喜馬拉雅山巡行，防範西藏共軍的來襲。

除來自惡劣氣候與來自中共軍的巨大壓力外，印軍還得與當地的險峻地形艱辛相抗。本圖即為印軍士兵僅能使用繩索，要強把一輛卡車及一門彈重25磅的英國製大炮拖上巉巖的情景。

塞普魯斯
內戰

攝影記者和新聞通訊員們，也正像塞普魯斯人自身一般，對於塞普魯斯這座
"浴日之島"的戰事，有時不禁會茫然而興"其渺無了期，適如其渺無意義"之
感。一名苦惱的土耳其人，便曾在1964年2月向生活雜誌通訊員如是詢問：
"我們還要死多少人？還要再搞多久？"——這件事就這樣一直搞到了七十年
代，在這段期間，任何攝影記者都不知道何時子彈便會飛臨到他自己頭上。
下圖所示的幾名土裔島民一面提防着希裔人的冷鎗，一面拖回同伴屍體的情
景，即足充份反映這一街頭戰爭的濃烈火藥氣息。而且，除地面廝殺而外，
凶險也同樣會來自天空——從土耳其本土飛來的噴射機，便會對希裔島民的
市鎮和船舶從事俯衝攻擊。次頁圖片即杜明尼克·白瑞帖攝下的炸後慘象。

一名土耳其裔塞普魯斯人一面小心注視着牆角隱蔽之處，一面伸手拖回剛被希臘裔狙擊手射殺的友人屍體。圖中那種英軍裝甲車，對1964年島上這場流血火併幾乎完全不起抑制作用。

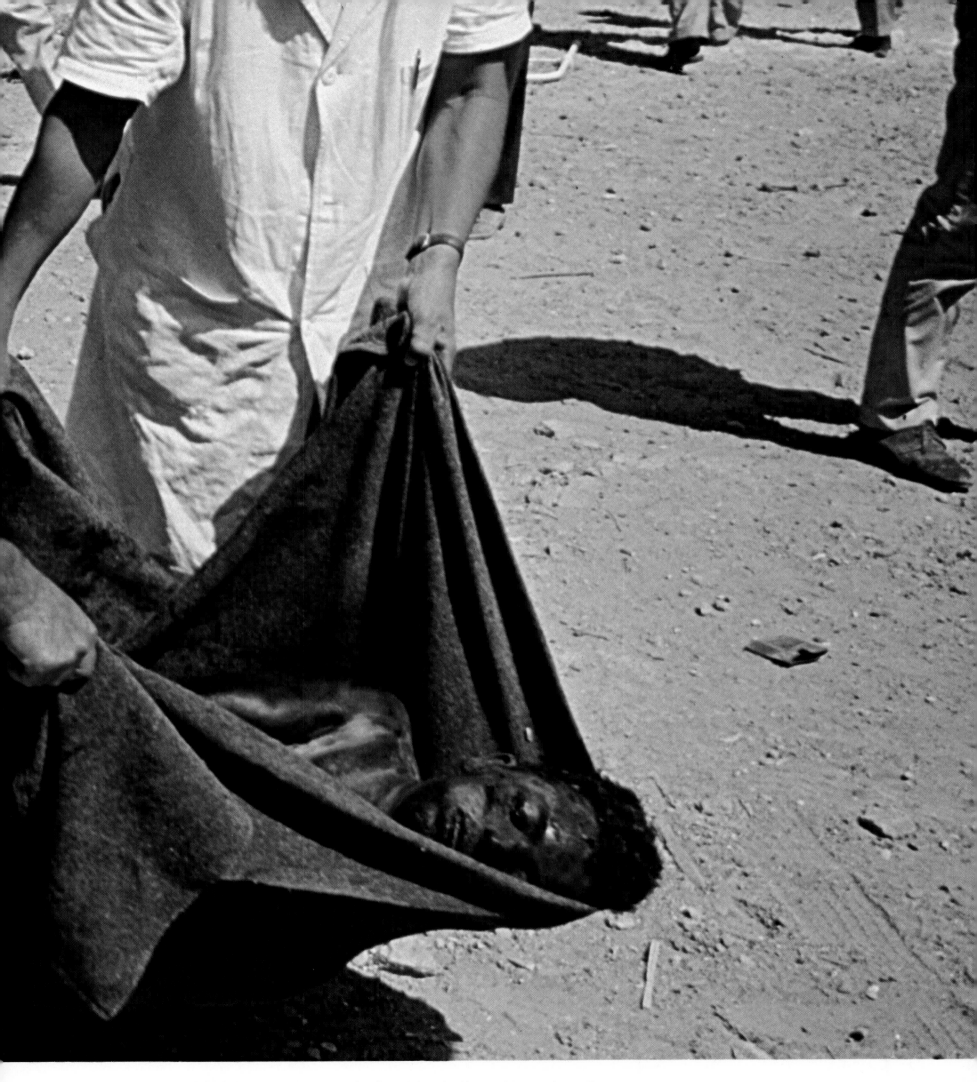

1964年8月，土耳其空軍對塞普魯斯島上希臘裔人的村莊大施轟炸，村民死傷甚多。圖爲一名年僅十餘歲的希臘裔少年被炸身死後，由兩名同胞僅用一張毛毯兜抬着送去葬殮的情景。

南阿拉伯之戰

1964年生活雜誌派赴南阿拉伯(亞丁)的攝影記者泰倫斯·斯賓塞，第二次世界大戰期間本是英國皇家空軍戰鬥機中隊隊長的，自戰後改任攝影記者，已是爲生活雜誌採訪過比屬剛果、東非及塞普魯斯三地戰事的老手了。斯賓塞爲求如實拍下冒着機鎗彈火衝向"赤狼"游擊隊的英軍傘兵的雄姿，不惜背對敵人，躬冒被打靶之險，終於攝得了下面這幅精采的圖片。生活雜誌通訊員朱爾敦·朋範惕，對於英軍沉着面對的此種肉搏戰有下列的描述："戴着紅羊毛軟帽、打上綁腿的英軍士兵，舉起上了刺刀的鎗，筆直衝進游擊隊控制的村落；經短暫戰鬥後便把村子攻下了。士兵們得立刻展開搜索，防範游擊隊必有的反擊——但他們竟能好整以暇地打開罐頭先喝杯茶。"

向"赤狼"反攻的英軍正冒鎗火躬身前進，奪下了一度落入也門山地游擊隊之手的這座村莊。

這是赤狼山內的一座梯形山嶺。一架英空軍飛機在剛向設置山腰上的游擊隊陣地從事火箭彈攻擊後，正朝上空復行攀高。圖前方的英軍士兵，則正在用無線電向飛機報告攻擊的結果。

比亞法拉
的困鬥

比亞法拉之戰在初期幾乎不可能作任何報導。1967年試圖宣告獨立的伊波族，四面都在尼日利亞政府軍的徹底圍鎖之中，整個陷於孤立，因此全世界對這場戰事早期情況之所知，除去謠言，便只有從這一不幸的聶爾共和國僥倖突圍而出的少數族人帶來的報導而已。

然後，到了1968年春天，伊波族的這一分離主義政府才開始准許由外國記者組成的小型探訪團飛赴該區訪問。隸屬一個探訪團的意大利籍攝影記者羅曼諾·卡尼奧尼，成功地帶出了若干有關比亞法拉之絕望慘況的早期圖片。卡尼奧尼所屬的探訪團作了一次經過仔細安排的遊覽後，卡尼奧尼即說動比亞法拉當局讓他留下，終得將比亞法拉密匝匝的志願軍、火光熊熊的農村、焦黑的屍骸與險淪餓殍的孑遺人民，拍成了許多活靈活現的圖片，比亞法拉這場觸目驚心的大慘劇這才獲得了世人的注意。

1968年伊波族志願兵在比亞法拉的歐基桂市一個軍事訓練營內列隊候命情景。由於這一新建共和國物資極度匱乏，新兵在裝備以任何能到手的武器後，僅再加數週訓練便投入戰場了。

北愛爾蘭
騷亂

對於北愛爾蘭騷亂的攝影報導特別危險，因為任何地方都會出現暴徒的炸彈，任何時候都會有子彈從任何一個方向飛來——下圖便正是在此種情景下拍成的：攝影記者基勒士·柏烈斯在探訪倫敦德里天主教徒一次本屬和平的示威時，突然便有鎗響出現，待到鎗聲止歇，遊行隊伍內有13人即已斃命了。

不過在這場戰亂中最覺尷尬的，仍然得數那批倒霉的英軍——他們的工作正是要去鎮壓這場由天主教徒及基督教徒雙方同時煽起的暴亂，因之也同為雙方所不歡迎。非法的愛爾蘭共和軍選定作為暗殺對象的阿蘭·柏爾下士的遭遇，便正足說明此種情況——柏爾率眾前赴一座村莊，去搜捕兩名疑是潛藏該地的鎗手，待到坐着裝甲運兵車回營時，便遭遇到了愛爾蘭共和軍的伏擊，幸虧援軍及時趕來，柏爾始得倖免於難。事後，柏爾向生活雜誌通訊員威廉·麥克懷爾特簡潔道出了他的深心的沮喪："我們不要待在這裏。愛爾蘭人也不要我們待在這裏。"

右圖所示的，貝爾法斯特市一名主婦駭然瞪視着就在她家門前進行戰鬥的這一景色，便充分表象了上述英軍的那種沮喪心情——以及英軍躬冒生命危險去保護的北愛人民的痛苦。

頭戴防暴盔、手持塑膠盾的英軍士兵，正在亂石紛飛中衝過貝爾法斯特市天主教居民區內的街頭；圖右是一名縮回門內呆立凝視的主婦。

1972年倫敦德里的天主教居民在一次示威遊行中猝遇匿伏暴徒的鎗擊，負責維持秩序的英軍隨即與暴徒駁火，遊行民眾則紛紛伏地躲避。

阿拉伯-以色列之戰

1967年隨同以色列軍前赴戰場的生活雜誌攝影記者保羅·薛徹爾，堅持一定要乘搭以軍的半履帶車去探訪實地的戰鬥。生活雜誌指派與他一道的通訊員米契爾·莫克，對這場水深火熱的沙漠戰爭，以及薛徹爾那一焚身之死，事後曾有如次的簡要報導：以軍裝甲部隊的半履帶車"在奈格烏沙漠上激起了滾滾烟塵，以色列士兵就在這片蔽目窒胸的飛沙中，扳動着阿日埃型輕機鎗，向正在四面八方戰壕內瞄準我們開火的埃及士兵猛烈還擊——我們的一個人驀地攔開機鎗，伸眉怒目，朝着正圖衝向我們這輛車的敵兵狂拋手榴彈，一

顆接一顆地不斷爆炸，炸得極近的那些的破片，清晰可聞地就在我們車旁呼嘯而過。

"駕駛兵這時忽然將車倒後，我們有一半人就從車上給拋落一片仙人掌叢中。戰爭在頃刻間彷彿已離開我們遠去了；我站起來環顧四面。我看見左前方我們有輛車已被敵炮直接命中起火——熠火冲天中夾雜着猛烈的劈拍爆響，光亮得簡直不可思議，比沙漠太陽還亮。'我眞盼保羅能攝下它，'我剛一動念，立刻想到：'我的天哪，他該不會就在車上吧？……'"非常遺憾，他剛好就在這輛車上。

1967年"六日戰爭"開始後數小時內以色列軍即閃電攻入加薩地帶；圖中死於炮火的埃及士兵及附近正在燃燒的軍車都是這一攻擊造成的。

托庇約旦的巴勒斯坦人經常侵襲以色列也經常
招致以軍反擊，因而約以邊境地帶遂長爲衝突
之場；本圖即1968年一次邊界衝突中，以軍半
履帶車向約旦推進，在沙上深留轍跡的情景。

1973年的阿以戰爭中，叙利亞戈蘭高地上的以色列戰車兵，正注視着一架業被擊中的叙利亞噴射機（左），從天上筆直掉落（中），最後爆炸成了一團火球（右）。地對空導彈在1973之戰中首次爲雙方所廣泛使用，但遭受打擊最慘重的仍得數以色列那支優秀空軍——僅在開戰最初兩週內，以色列飛機損失即達四分之一以上。

PICTURE CREDITS

Credits from left to right are separated by semicolons, from top to bottom by dashes.

INTRODUCTION: 6—Larry Burrows—David Douglas Duncan; 7—David E. Scherman—no credit. 8—Margaret Bourke-White—no credit—Hank Walker, TLPA—no credit—Trevor Sauntlett. 9—Eliot Elisofon; no credit—Carl Mydans, TLPA; no credit—no credit; no credit—Carl Mydans, TLPA; Universal Pictures.

SPANISH CIVIL WAR: 12, 13—Robert Capa from Magnum. 14—TLPA. 15—Globe Photos. 16, 17—Robert Capa, TLPA; Robert Capa from Magnum. 18—Robert Capa, TLPA—Robert Capa from Magnum. 19—Three Lions. 20, 21—Wide World—TLPA. 22—Robert Capa from Magnum. 23—Interphoto.

CHINESE-JAPANESE WAR: 26, 27—H.S. Wong from United Press International. 28, 29—no credit. 30, 31—Wide World. 32—Rey Scott. 33—TLPA. 34, 35—United Press International—Robert Capa, TLPA; Wide World. 36, 37—Tsuguichi Koyanagi. 38 through 41—Wide World. 42, 43—United Press International. 44—Paul Dorsey, TLPA. 45—Wide World. 46, 47—Rudo S. Globus. 48—Paul Dorsey, TLPA. 49—Yonosuke Natori from Black Star—Carl Mydans, TLPA. 50, 51—Yonosuke Natori from Black Star. 52, 53—Paul Dorsey, TLPA.

WORLD WAR II, SOLDIERS: 56, 57—Margaret Bourke-White, TLPA. 58, 59—Sovfoto. 60, 61—FPG; Wide World—United Press International. 62—United Press International—FPG. 63—Bob Landry, TLPA. 64—Cuiematographique—Ralph Morse, TLPA. 65—Ralph Morse, TLPA. 66, 67—Edward Steichen; Peter Stackpole, TLPA (2). 68, 69—Dmitri Kessel, TLPA. 70—Jarche, TLPA. 71—Bob Landry, TLPA—Wide World. 72, 73—Robert Capa, TLPA—Johnny Florea, TLPA; Eliot Elisofon, TLPA.

WORLD WAR II, WAR IN EUROPE: 74, 75—TLPA. 76—Charles E. Brown. 77—George Silk, TLPA—Wide World. 78, 79—United Press International—Sovfoto; Interphoto. 80—TLPA. 81—Margaret Bourke-White, TLPA. 82, 83—United Press International. 84, 85—Robert Capa from Magnum; U.S. Coast Guard.

WORLD WAR II, WAR IN ASIA: 86 through 89—U.S. Navy. 90, 91—U.S. Navy; U.S. Navy courtesy Edward Steichen. 92, 93—United Press International (3); U.S. Navy. 94, 95—no credit; Ralph Morse, TLPA—George Strock, TLPA. 96, 97—Frank Prist from United Press International; W. Eugene Smith, TLPA. 98, 99—George Strock, TLPA. 100, 101—George Strock, TLPA; W. Eugene Smith, TLPA. 102, 103—W. Eugene Smith, TLPA; Bernard Hoffman, TLPA. 104—U.S. Airforce; 105—George Silk, TLPA.

WORLD WAR II, HOMEFRONTS: 106, 107—C.P. Dettloff. 108, 109—all Alfred Eisenstaedt except for right; Robert Jakobsen from the *Los Angeles Times*. 110, 111—George Strock, TLPA; Foster C. Stanfield and Elmer Staab for the *Milwaukee Journal*. 112—United Press International. 113—Margaret Bourke-White, TLPA. 114, 115—Bob Landry, TLPA—Dmitri Kessel, TLPA. 116, 117—Margaret Bourke-White, TLPA. 118, 119—*London Daily Mirror*; George Rodger, TLPA. 120, 121—TLPA. 122—United Press International. 123—TLPA.

WORLD WAR II, VICTIMS: 124, 125—Carl Mydans, TLPA. 126—TLPA. 127—John Topham from Black Star. 128, 129—W. Eugene Smith, TLPA. 130, 131—Robert Capa, TLPA. 132, 133—Yoshito Matsushige from "Atom Bomb No. 1," Asahi Shuppan-Sha, Tokyo; Yosuke Yamahata from "Atom Bombed Nagasaki," Daiichi Shuppan-Sha, Tokyo. 134—Yosuke Yamahata from "Atom Bombed Nagasaki," Daiichi Shuppan-Sha, Tokyo; 135—Yoshito Matsushige from "Atom Bomb No. 1," Asahi Shuppan-Sha, Tokyo. 136, 137—Margaret Bourke-White, TLPA; Leonard McCombe, TLPA. 138, 139—William Vandivert, TLPA; George Rodger, TLPA. 140, 141—Margaret Bourke-White, TLPA.

WORLD WAR II, OCCUPATION & LIBERATION: 142, 143—United Press International. 144, 145—FPG; United Press International. 146, 147—Movietonews, Inc.; Wide World. 148, 149—Frank Scherschel, TLPA. 150—U.S. Signal Corps. 151—Sandro Aurisuchio De Val, TLPA—Robert Capa, TLPA—Bob Landry, TLPA. 152—George Silk, TLPA. 153—Ralph Morse, TLPA. 154, 155—Bob Landry, TLPA.

KOREAN WAR, THE FIGHTING: 158, 159—John Dominis, TLPA. 160, 161—Hank Walker, TLPA. 162, 163—Carl Mydans, TLPA. 164, 165—Carl Mydans, TLPA; Michael Rougier, TLPA. 166, 167—David Douglas Duncan except right; Carl Mydans, TLPA. 168, 169—Carl Mydans, TLPA. 170, 171—David Douglas Duncan. 172, 173—Hank Walker, TLPA; Michael Rougier, TLPA. 174, 175—David Douglas Duncan. 176, 177—John Dominis, TLPA. 178, 179—David Douglas Duncan. 180, 181—Howard Sochurek, TLPA; David Douglas Duncan. 182, 183—Hank Walker, TLPA; David Douglas Duncan—PFC Nebbia from Signal Corps. 184—Margaret Bourke-White, TLPA. 185—Michael Rougier, TLPA. 186, 187—David Douglas Duncan. 188, 189—Michael Rougier, TLPA; John Dominis, TLPA. 190, 191—John Dominis, TLPA; Hank Walker, TLPA. 192, 193—Michael Rougier, TLPA. 194—no credit. 195—Carl Mydans, TLPA. 196, 197—Werner Bischof from Magnum.

KOREA, THE VICTIMS: 198, 199—David Douglas Duncan. 200, 201—David Douglas Duncan; Margaret Bourke-White, TLPA. 202—David Douglas Duncan. 203—Michael Rougier, TLPA. 204, 205—Margaret Bourke-White, TLPA. 206—Max Desfor from Wide World. 207—Howard Sochurek, TLPA. 208, 209, 210—Carl Mydans, TLPA. 211—Werner Bischof from Magnum.

VIETNAM WAR, AIR WAR: 214 through 217—Larry Burrows. 218, 219—Mark Godfrey, TLPA. 220 through 229—Larry Burrows.

VIETNAM WAR, GROUND WAR: 230 through 233—Larry Burrows. 234, 235—Catherine Leroy from Wide World. 236, 237—Mark Godfrey, TLPA. 238, 239—David Douglas Duncan. 240, 241—no credit. 242—Lee Lockwood from Black Star. 243—Paul Schutzer, TLPA. 244 through 249—David Douglas Duncan. 250, 251—Larry Burrows; Howard Sochurek, TLPA. 252, 253—Larry Burrows. 254, 255—Mark Godfrey, TLPA. 256—Larry Burrows. 257—Tim Page, TLPA. 258, 259—David Douglas Duncan. 260, 261—Co Rentmeester, TLPA.

VIETNAM WAR, VICTIMS: 262, 263—Wide World. 264, 265—Horst Faas from Wide World. 266, 267—Co Rentmeester, TLPA. 268, 269—Burk Uzzle, TLPA. 270—Henri Dauman. 271—Akihiko Okamura for Pan-Asia from Black Star. 272, 273—Lee Lockwood from Black Star. 274—Ronald L. Haeberle. 275—Shunsuke Akatsuka for Wide World. 276, 277—Larry Burrows.

BRUSHFIRE: 280, 281—*Paris Match* from Gamma; Dominique Berretty. 282 through 285—Andrew St. George, TLPA. 286, 287—Indian Armed Forces Information Office. 288, 289—Larry Burrows. 290, 291—Donald McCullin courtesy *The Observer*. 292, 293—Dominique Berretty, TLPA. 294, 295—Terence Spencer, TLPA. 296, 297—Romano Cagnoni. 298, 299—Donald McCullin from *The Sunday Times*—Gilles Peress from Magnum. 300, 301—David Rubinger, TLPA. 302, 303—Hananiah Miller for the *Bamahaneh Weekly*. 304, 305—Burlot-Sipa-Liaison.

ENDPAPERS:
Front: Wide World.
Back: George Silk, TLPA.

Abbreviations: ©, copyright; TLPA, TIME-LIFE Picture Agency; UPI, United Press International; FPG, Free-lance Photographers' Guild. *Every effort has been made to ascertain the names of the individual photographers deserving of credit in this book. In the absence of this information, credit has been given to the agency or publication that provided the photograph.*